CHUCK PALAHNIUK

CONDENADA

A VIDA É CURTA.

A MORTE É ETERNA.

Tradução
Santiago Nazarian

Copyright © 2011 by Chuck Palahniuk
Todos os direitos reservados.
Tradução para a língua portuguesa © LeYa Editora Ltda., 2012
Titulo original: *Damned*

Preparação de texto: Alessandra Miranda de Sá
Revisão: Luciana Moreira e Viviane Diniz
Cotejo: Iraci Kishi
Projeto gráfico e Diagramação: Desígnios Editoriais
Adaptação de capa: Retina 78

Dados Internacionais de Catalogação na Publicação (CIP)
Angélica Ilacqua CRB-8/7057

Palahniuk, Chuck
 Condenada : a vida é curta: a morte é eterna / Chuck Palahniuk; tradução de Santiago Nazarian. – 2. ed. – São Paulo: LeYa, 2014.
 304 p.

ISBN 978-85-441-0105-6

Título original: Damned

1. Literatura americana 2. Ficção – morte I. Título II. Nazarian, Santiago

14-0621   CDD–813

Índices para catálogo sistemático:
1. Literatura americana

2014
Todos os direitos reservados a
LEYA EDITORA LTDA.
Rua Desembargador Paulo Passaláqua, 86
01248-010 – Pacaembu – São Paulo - SP
www.leya.com.br

**Outros livros de Chuck Palahniuk
publicados pela Leya:**

Clube da Luta

Sobrevivente

Maldita

Clímax

No Sufoco

I

Está aí, Satã? Sou eu, Madison. Acabei de chegar aqui, no Inferno, mas não é minha culpa, exceto talvez por ter morrido de overdose de maconha. Talvez esteja no Inferno porque sou gorda – uma verdadeira leitoa. Se é possível ser mandado ao Inferno por ter baixa autoestima, é por isso que estou aqui. Quem dera pudesse mentir e dizer a você que sou um palito, loira e peituda. Mas pode acreditar em mim: sou gorda por uma razão bem boa. Para começar, deixe que eu me apresente.

Qual seria a melhor maneira de propagar a sensação exata de estar morto...

Sim, conheço a palavra *propagar*. Estou morta, não com danos cerebrais.

Confie em mim, a parte de estar morta é muito mais fácil que a de morrer. Se você aguenta assistir muita televisão, estar morto é fichinha. Na verdade, ver televisão e surfar na internet são um treino excelente para a condição de morto.

A comparação mais próxima que posso usar para descrever a morte é quando minha mãe liga o notebook e invade o sistema de segurança da nossa casa em Mazatlán ou Banff.

– Olhe – ela diz, virando a tela de lado para que eu veja –, está nevando.

Reluzindo ligeiramente no computador está o interior da casa em Milão, a sala de estar, com neve caindo do lado de fora das janelas grandes e, bem ao longe, segurando as teclas Control + Alt + W, minha mãe abre por completo as cortinas da sala de estar. Apertando as teclas Control + D, diminui as luzes por controle remoto, e nos sentamos, num trem ou num carro, ou a bordo de um jatinho alugado, para ver a bela vista de inverno através das janelas daquela casa vazia mostrada na tela do computador dela. Com as teclas Control + F, ela acende a lareira a gás, e ouvimos a quietude da neve italiana caindo e o crepitar das chamas pelo monitor de áudio do sistema de segurança. Depois disso, minha mãe entra no sistema da nossa casa em Cape Town. Então entra para ver a casa em Brentwood. Ela pode estar ao mesmo tempo em todos os lugares e em lugar nenhum, viajando pelo pôr do sol e por folhagens em qualquer lugar, exceto onde está de fato. No melhor dos casos, uma vigia. No pior, uma *voyeuse*.

Minha mãe mataria metade de um dia no notebook só olhando para quartos vazios repletos de mobília. Ajustando o termostato por controle remoto. Apagando as luzes e escolhendo a quantidade certa de música suave para tocar em cada quarto.

– Só para manter os assaltantes intrigados – dizia-me.

Ela teclava de câmera em câmera, vendo a empregada somaliana limpar a casa em Paris. Debruçada na tela do computador, suspiraria e diria:

– Os *açafrãos* estão florescendo em Londres...

Por detrás da seção de economia do *Times*, meu pai comentaria:

– O plural é *açafrões*.

Daí minha mãe provavelmente daria uma risadinha, confabulando com as teclas Control + L para trancar uma empregada dentro de um banheiro a três continentes de distância, porque os azulejos não estavam brilhando como deveriam. Para ela, essa era uma diversão bem perversa. Era afetar o ambiente sem estar fisicamente presente. Consumir estando ausente. Seria como ter uma música de sucesso que você gravou há décadas ainda ocupando a mente de um trabalhador em regime semiescravo na China, alguém que você nunca conheceu. Trata-se de poder, embora um tanto sem sentido – um poder impotente.

Na tela do computador, uma empregada colocava um vaso cheio de peônias recém-colhidas no peitoril da casa em Dubai, e minha mãe espiava por satélite, aumentando o ar-condicionado, tornando o ar cada vez mais frio, digitando as teclas via conexão *wireless*, esfriando aquela casa, aquele cômodo em particular – um frio de frigorífico, frio de pista de esqui, gastando a fortuna de um rei em energia elétrica e freon, tentando fazer umas malditas flores rosa-choque de dez pratas durarem um dia a mais.

Estar morto é tipo assim. Sim, conheço a palavra *ausência*. Tenho treze anos, não sou idiota, e estou morta – pode apostar, compreendo a ideia de ausência.

Estar morto é a própria essência de viajar com pouca bagagem.

Estar *morto*-morto significa continuidade, 24 horas por dia, sete dias por semana, 365 dias por ano... para sempre.

Bem, a sensação de bombearem todo o seu sangue para fora do corpo você não vai querer que eu descreva. Nem deveria lhe contar que estou morta, porque sem dúvida você vai se sentir terrivelmente superior. Mesmo outras pessoas gordas se sentem superiores a Gente Morta. Ainda assim, eis aqui: minha Terrível Confissão. Vou desabafar e me livrar deste peso. Vou sair do armário. Estou morta. Agora vê se não vai usar isso contra mim.

Sim, todos parecemos um pouco misteriosos e absurdos uns aos outros, mas ninguém parece tão estrangeiro quanto alguém morto. Podemos perdoar que um estranho se converta ao catolicismo ou que se torne homossexual, mas não que sucumba à morte. Odiamos apóstatas. Pior do que alcoolismo ou vício em heroína, morrer parece ser a maior fraqueza; e, num mundo onde as pessoas dizem que você é preguiçosa por não depilar as pernas, ser morto parece ser a derradeira falha de caráter.

É como se tivesse cabulado a vida – não se esforçou o suficiente para fazer jus a todo seu potencial. *Preguiçoso!* Ser gordo e estar morto – deixe-me dizer – é urucubaca dupla.

Não, não é justo, mas, mesmo que sinta pena de mim, é provável que também se sinta bem convencidinho por estar vivo, e sem dúvida está mastigando uma porção de algum pobre animalzinho que teve o infortúnio de estar abaixo de você na cadeia alimentar. Não estou dizendo isso para conquistar sua simpatia. Tenho treze anos, sou uma menina e estou morta. Meu nome é Madison, e a última coisa que preciso é de sua pena condescendente. Não, não é justo, mas é como as pessoas fazem. Na primeira vez que encontramos outra pessoa, uma vozinha insidiosa na mente nos diz: "Posso usar óculos ou ter uns pneuzinhos e ser menina, mas pelo menos não sou gay, negra ou judia". O que significa: posso ser eu – mas pelo menos tenho o bom senso de não ser VOCÊ. Por isso hesito até em mencionar que estou morta, porque todo o mundo se sente tão superior a gente morta, até mesmo o povo mexicano ou quem tem aids. É como quando se aprende sobre Alexandre, o Grande, na aula de Influências da História Ocidental do oitavo ano, e o que fica passando na cabeça é: "Se Alexandre era tão corajoso e esperto e... grande... por que morreu?".

É, conheço a palavra *insidiosa*.

A morte é o maior erro que nenhum de nós JAMAIS planeja cometer. Por isso os cereais integrais e as colonoscopias. Por isso você toma vitaminas e faz papanicolau. Não, não você – *você nunca vai morrer*; por isso, sente-se superior a mim. Bom, vá em frente e pense assim. Lambuze a pele com bloqueador solar e procure caroços no corpo. Não me deixe estragar a Grande Surpresa.

Mas, para ser honesto, quando estiver morto, nem mendigos de rua ou retardados mentais vão querer trocar de lugar com você. Quer dizer, os vermes vão comê-lo. É uma violação completa de todos os seus direitos civis. A morte deveria ser ilegal, mas não se vê a Anistia Internacional empreendendo alguma campanha contra ela. Não se veem astros do rock formando bandas para lançar compactos de sucesso com todos os lucros dirigidos a evitar que MEU rosto seja devorado por vermes.

Minha mãe lhe diria que sou metida a espertinha e cínica demais. Minha mãe diria: "Madison, por favor, não banque a espertinha". Diria: "Você está *morta*; agora, *acalme-se*".

É provável que o fato de estar morta seja um alívio imenso para meu pai; desse jeito, pelo menos, ele não precisa mais se preocupar com que eu o envergonhe ficando grávida. Meu pai costumava dizer: "Madison, o homem que acabar com você vai estar com as mãos cheias...". Se ele soubesse...

Quando meu peixinho dourado, o Senhor Treme-treme, morreu, nós o jogamos na privada e apertamos a descarga. Quando meu gatinho, Listra de Tigre, morreu, tentei fazer o mesmo, e tivemos de chamar um encanador para desentupir a privada. Que zona foi aquilo. Pobre Listra de Tigre. Quando morri, não entrarei em detalhes, mas deixe-me dizer que um tal Pervertido da Silva, agente funerário, me viu pelada e bombeou todo o sangue para fora do meu corpo, e fez só Deus sabe quais atos carnais de décima categoria com aquele corpo virginal de treze anos. Pode me chamar de cínica, mas a morte é a maior piada por aí. Depois de todas as ondas permanentes e lições de balé que minha mãe pagou, aqui estou eu recebendo um banho de língua quente de um cara gorducho e depravado do necrotério.

Posso lhe dizer que, quando se está morto, você tem basicamente de abrir mão das exigências sobre fronteiras e espaço pessoal. Apenas entenda: não morri porque era preguiçosa demais para viver. Não morri porque queria punir minha família. E, não importa o quanto enlouqueça com meus pais, não fique com a impressão de que os odeio. Sim, por um tempo fiquei por aí vendo minha mãe debruçada sobre o notebook, apertando as teclas Control + Alt + L para trancar a porta do meu quarto em Roma, do meu quarto em Atenas, de todos os meus quartos pelo mundo. Ela digitou para fechar todas as cortinas depois disso, e desligar o ar-condicionado e ativar o filtro eletrostático para que nem um grão de poeira baixasse em minhas bonecas, roupas e bichinhos de pelúcia. Faz sentido que eu sinta mais saudades dos meus pais do que eles de mim, em particular se considerar que eles só me amaram por treze anos, enquanto eu os amei por toda a minha vida. Perdoe-me por não ficar mais tempo por aqui, mas não desejo ser uma morta que só fica vendo as pessoas enquanto esfria quartos, faz luzes piscarem e abre e fecha cortinas. Não quero ser só uma *voyeuse*.

Não, não é justo, mas o que faz a Terra se parecer com o Inferno é a expectativa de que se pareça com o Paraíso. A Terra é a Terra. Morto é morto. Você mesmo vai descobrir daqui a pouco. Não vai ajudar em nada ficar todo amuado.

II

Está aí, Satã? Sou eu, Madison. Por favor, não fique com a impressão de que não gosto do Inferno. Não, sério, é bem maneiro. Bem melhor do que esperava. Honestamente, fica óbvio que você se esforçou muito, e por bastante tempo, nesses oceanos de vômito escaldante, odor pungente de enxofre e nuvens de moscas pretas zunindo.

Se minha versão do Inferno não conseguir impressioná-lo, por favor, considere este um defeito meu. Quero dizer, o que sei? Provavelmente qualquer adulto se mijaria feito um bocó vendo os morcegos-vampiros voando e as majestosas cachoeiras de cocô despencando. Sem dúvida a culpa é toda minha, porque, se já imaginei alguma vez o Inferno, foi como uma versão incandescente daquela obra-prima clássica de Hollywood, *Clube dos cinco* – estrelado, lembremos, por uma líder de torcida linda e superpopular, um rebelde chapadão, um esportista burro, um nerd e uma psicopata misantropa, todos trancados juntos na biblioteca da escola cumprindo o castigo em um sábado que, de outro modo, seria normal, exceto pelo detalhe de que todos os livros e cadeiras estavam ardendo em chamas.

Sim, você pode estar vivo e ser gay, ou velho ou mexicano, e mandar *essa* pra cima de mim, mas considere que tive de fato a experiência de acordar no meu primeiro dia no Inferno, e vai ter de aceitar minha palavra sobre o que ele é. Não, não é justo, mas pode esquecer o famoso túnel com a luz branca espectral ao fundo, e ser recebido pelos braços abertos da vovozinha e do vovozinho há muito falecidos; talvez as outras pessoas tenham relatado esse processo prazeroso, mas considere que estão atualmente vivas, ou permaneceram vivas por tempo suficiente para relatar o encontro. A questão é: essas pessoas viveram o que se conhece por "experiência de quase morte". Eu, no entanto, estou morta, com meu sangue há muito extraído do corpo e minhocas me mastigando. No meu livro, isso me torna a autoridade no assunto. Outras pessoas, como o famoso poeta italiano Dante Alighieri, sinto dizer, apenas ofertaram uma generosa contribuição de faz de conta cafona ao público leitor.

Portanto, desconsidere meu relato do Inferno por sua própria conta e risco.

Em primeiro lugar, você acorda deitado num chão de pedra dentro de uma cela bem pequena composta de barras de ferro; e leve a sério meu conselho: não toque em nada. As barras da prisão estão uma imundice. Se por acidente TOCAR as barras, que parecem uma mistura de gosma com bolor e sangue de algum desconhecido, NÃO toque no rosto ou nas roupas – não se tiver alguma pretensão de ficar com um visual bacana até o Julgamento Final. E NÃO coma os doces que encontrar espalhados por todo lado no chão.

Os meios exatos pelos quais cheguei ao submundo permanecem um pouco incertos. Recordo-me de um motorista parado no acostamento de algum lugar, ao lado de um Lincoln Town Car preto estacionado, segurando uma placa com meu nome: MADISON SPENCER, numa letra terrível escrita à mão, em letras maiúsculas. O motorista – esse povo nunca fala inglês – usava óculos espelhados e um quepe, portanto a maior parte do rosto ficava escondida. Lembro dele abrindo a porta detrás para que eu entrasse; depois disso, foi um longo passeio atrás de janelas tão negras que não conseguia ver quase nada lá fora, mas o que acabei de descrever poderia ser qualquer um dos dez zilhões de passeios que fiz entre aeroportos e cidades. Se esse carro me deixou no Inferno, não posso afirmar, mas em seguida acordei nesta cela imunda.

Provavelmente acordei porque alguém estava gritando; no Inferno, sempre tem alguém gritando. Qualquer um que já tenha voado de Londres a Sydney, sentado ao lado ou próximo de um bebezinho irritado, vai sacar rapidinho o clima das coisas no Inferno. E, quanto a estranhos e multidões, e aparentes horas intermináveis de espera sem nada acontecer, para você, o Inferno vai parecer um longo e nostálgico *déjà-vu*. Em particular se o filme a bordo for *O paciente inglês*. No Inferno, quando os demônios anunciam que vão passar um grande filme de Hollywood para a galera, não precisa se empolgar: é sempre *O paciente inglês* ou, infelizmente, *O piano*. Nunca é o *Clube dos cinco*.

Quanto ao cheiro, o Inferno não chega nem perto de Nápoles no verão durante uma greve de catadores de lixo.

Se quer saber, as pessoas no Inferno só gritam para ouvir a própria voz e passar o tempo. Ainda assim, reclamar do Inferno me parece um pouco óbvio e autoindulgente. Como em muitas experiências em que você se aventura sabendo muito bem que vão ser terríveis, na verdade o prazer básico reside na própria maldade inata, como comer torta congelada de frango no colégio interno ou um banquete de carne congelada na noite em que o cozinheiro está de folga. Ou como comer *qualquer coisa* na Escócia. Permita-me arriscar que a única razão pela qual aproveitamos alguns passatempos, como ver a versão cinematográfica de *Vale das bonecas*, vem do conforto e da familiaridade da própria má qualidade inerente. Em contraste, O *paciente inglês* tenta desesperadamente ser profundo e só consegue ser dolorosamente entediante.

Se puder perdoar a redundância: o que faz a Terra parecer com o Inferno é a expectativa de que deva parecer com o Paraíso. A Terra é a Terra. Inferno é Inferno. Agora, chega de resmungos e chororô.

Nessa linha de raciocínio, parece clichê e óbvio chegar ao Inferno e depois chorar e rasgar as roupas ao se encontrar num esgoto nojento ou jogado sobre uma superfície de navalhas em brasa. Gritar e se debater parece... hipócrita, como se tivesse comprado um ingresso e se sentado para assistir a *Jean de Florette* e depois reclamasse em voz alta, ressentido do fato de que todos os atores estão falando em francês. Ou é como o povo que viaja para Las Vegas para ficar batendo na mesma tecla sobre como é deselegante fazê-lo. Claro, até mesmo nos cassinos que investem em elegância, com lustres de cristal e vitrais, até nestes há o tilintar e a cacofonia das máquinas caça-níqueis de plástico que piscam com luzes fortes para atrair sua atenção. Numa situação dessas, o povo que resmunga e geme pode imaginar que faz uma contribuição, mas na verdade só está enchendo nossa paciência.

Outra regra importante de repetir é: não coma os doces. Não que se sentirá remotamente tentado, uma vez que se encontram espalhados pelo chão sujo, doces que até gente gorda e viciados em heroína não comeriam: quebra-queixo, chiclete duro como pedra, bala puxa-puxa, doces de alcaçuz e pipoca doce.

Dado o fato de que você, você mesmo, ainda está vivo e é negro ou judeu ou seja lá o que for – sorte sua, porque continua comendo cereais integrais –, tem de confiar em mim a respeito de todos esses detalhes, portanto escute e preste muita atenção.

Ao lado de sua cela, outras se estendem ao horizonte em ambas as direções, a maioria contendo só uma pessoa, a maior parte delas aos gritos. Assim que meus olhos se abriram, escutei a voz de uma menina dizendo:

– Não toque nas barras...

De pé na cela ao lado, uma adolescente mostrou as mãos, esticando bem os dedos para mostrar as palmas lambuzadas de gosma. Esse é de fato um grande problema do Inferno. É como um submundo inteiro com síndrome do edifício doente.

Minha vizinha, aposto eu, é uma caloura do ensino médio, porque tem o tipo de quadril desenvolvido para reter uma saia reta e peitões, em vez de apenas franjas ou dobras preenchendo a frente da blusa. Mesmo com fumaça nublando o ar e um ou outro morcego-vampiro passando pelo meu campo de visão, posso ver que as sandálias Manolo Blahnik são falsas, do tipo que se compra à distância, pela internet, em uma operação pirata em Cingapura por cinco dólares. E, se puder engolir mais um simples conselho: NÃO morra usando sandálias vagabundas. O Inferno é... bem, um inferno para os pés; qualquer coisa de plástico derrete, e você não vai querer andar descalço sobre vidro quebrado pelo resto da eternidade. Quando chegar sua hora, quando o proverbial sino soar para ti, pense com seriedade em calçar um sapato baratinho e bem básico, sem salto, de cor escura, que não mostrará manchas de sujeira.

Essa adolescente na cela ao lado me chama e pergunta:

– Foi condenada pelo quê?

Ficando de pé, alongando os braços e tirando o pó da bermuda-saia, respondo:

– Acho que por fumar maconha.

Mais por educação que por interesse genuíno, pergunto à menina sobre seu pecado fundamental. Ela dá de ombros; apontando um dedo manchado, sujo, em direção aos pés, diz:

– Usar sandálias brancas após o Dia do Trabalho[1].

As infelizes sandalinhas dela – o couro falso é branco e já está gasto, e não se pode de fato lustrar Manolo Blahnik falsificados.

– Belas sandálias – minto, apontando com a cabeça para os pés dela. – São Manolo Blahnik?

– Sim – ela responde –, são sim. Custam uma fortuna.

Outro detalhe para se lembrar sobre o Inferno... Sempre que perguntar a alguém por que ele foi condenado pela eternidade, esse alguém vai dizer "por atravessar no sinal vermelho" ou "por usar uma bolsa preta com sapatos marrons", ou qualquer coisinha

---

[1]. Tradição nos Estados Unidos. (N. do T.).

à toa assim. No Inferno, seria estúpido conceber que as pessoas tenham grandes padrões de honestidade. O mesmo vale para a Terra.

A menina na cela ao lado se aproxima um passo, ainda olhando para mim, e comenta:

– Sabe, você é superbonita.

Essa declaração a denuncia como descarada, cara de pau mentirosa de primeira, mas não digo nada em resposta.

– Não, falo sério – insiste. – Você só precisa de mais delineador e um rímel no rosto.

Começa a revirar a bolsa – também branca, Coach, falsa, de plástico – tirando tubos de rímel e sombra turquesa da Avon. Com a mão suja, a menina acena para mim para que incline meu rosto entre as barras.

Pela minha experiência, as meninas tendem a ser terrivelmente espertas até nascerem os peitos. Pode desprezar essa observação como um preconceito pessoal, baseado na minha tenra idade, mas os treze anos parecem ser a idade em que seres humanos atingem o máximo do desabrochar de inteligência, personalidade e determinação. Tanto meninas quanto meninos. Não é para me vangloriar, mas acredito que uma pessoa atinge a verdadeira excepcionalidade aos treze anos de idade – veja só Pippi Meialonga, Poliana, Tom Sawyer e Dennis, o Pimentinha –, antes que se encontre em conflitos e guiada por hormônios e expectativas em relação ao sexo oposto. Deixe que as meninas tenham sua menstruação e os meninos, o primeiro sonho erótico, e instantaneamente esquecerão o próprio brilho e talento. Mais uma vez: aqui há uma referência para meu livro de Influências da História Ocidental – por um longo tempo depois da puberdade, é como a idade das trevas que se deu entre o Iluminismo Ateniense e a Renascença Italiana. As meninas ganham peitinho e esquecem que já foram valentonas e inteligentes. Os moleques também podem mostrar a própria marca de esperteza e graça, mas espere só terem a primeira ereção para que se tornem *pamonhas* pelos próximos sessenta anos. Para ambos os gêneros, a adolescência ocorre como um tipo de Era do Gelo da Pamonhice.

E, sim, conheço a palavra *gênero*. Deus do Céu! Posso ser gorducha e sem peito, míope e defunta, mas NÃO pamonha.

E sei que, quando uma menina mais velha, supersexy, com quadris, peitões e cabelo bonito quer tirar seus óculos e passar sombra em seus olhos, está apenas tentando alistá-la em um concurso de beleza que ela já ganhou. É o tipo de gesto condescendente de quinta, como quando gente rica pergunta a gente pobre onde passa o verão. Para mim, cheira a um tipo de chauvinismo descarado e insensível de "deixe-os comer uma fatia do nosso bolo". Ou isso, ou a menina mais velha e atraente é lésbica. Seja o que for, não ofereço meu rosto nem quando ela está pronta, segurando um pincel lambuzado de rímel como uma varinha de condão de uma fada madrinha para me transformar em uma Cinderela vagabunda. Para ser sincera, sempre que assisto ao clássico de John Hughes, *Clube dos cinco*, e Molly Ringwald leva a pobre Ally Sheedy ao banheiro feminino, e então sai de lá com ela naquela maquiagem horrenda dos anos 1980, aquele blush nas bochechas, o cabelo preso com um laço e lábios pintados naquele vermelho-*vermelho*, datado como uma versão vagabunda de boneca de porcelana esgotada de Ringwald, Sirigaita da Silva em conformidade com a revista *Vogue*, a pobre Ally reduzida a um tipo tão grotesco de vida, com ar de pôster do Nagel, sempre grito para a televisão: "Corra, Ally!". Sério, grito mesmo: "Lave o rosto, Ally, e *saia correndo*!".

Em vez de oferecer meu rosto, digo:

– Melhor não; não até que minha acne melhore um pouco.

Com isso, a varinha mágica de maquiagem recua. A sombra da Avon e os batons voltam para a bolsa Coach falsa enquanto os olhos dela se estreitam, buscando em meu rosto sinais de pele descamada, ferimentos ou um vermelho que denote inflamação.

É como minha mãe diria: "Toda empregada nova quer dobrar sua calcinha de um jeito diferente". Traduzindo: você tem de ser esperta e não se deixar levar.

Outras celas amontoam-se perto das nossas, algumas vazias, outras ocupadas por gente solitária. Sem dúvida o esportista fodão, o rebelde chapado, o nerd bitolado, o psicopata, todos em detenção por aqui, para sempre.

Não, não é justo, mas há boas chances de que eu vá ficar nesta cela por séculos a fio, fingindo sofrer psoríase enquanto gente hipócrita grita e reclama da umidade e do cheiro, e minha vizinha Sirigaita da Silva se abaixa para tentar lustrar com cuspe as sandálias brancas vagabundas com um lenço de papel amassado. Mesmo com o fedor de merda e a fumaça de enxofre, é possível sentir o cheiro do perfume de R$ 1,99 dela, uma mistura de frutas tipo chiclete ou refresco de uva de pacotinho. Para ser sincera, preferia sentir o cheiro do cocô, mas quem consegue reter a respiração por mais de um milhão de anos? Então, só por educação, falo:

– Obrigada de qualquer modo. Sobre oferecer a maquiagem, quero dizer. – Só para ser educada, forço-me a sorrir e digo:
– Sou a Madison.

Com isso, a adolescente quase avança nas barras que nos separam com todos aqueles peitões e quadris e sandálias de salto, agora óbvia e pateticamente grata pela minha companhia. Sorri para me mostrar os incisivos de porcelana polida produzidos em massa. Nos lóbulos auriculares furados, usa brincos de diamante – uma coisa tão Claire Standish da parte dela –, só que são vulgares, do tamanho de uma moeda, entalhados em zircônia brilhante. Dizendo "Sou a Babette", ela larga o lenço de papel e estica a mão manchada de sujeira entre as barras para que eu a cumprimente.

III

Está aí, Satã? Sou eu, Madison. Por favor, não fique magoado, Satã, mas meus pais me criaram para que eu não acreditasse em sua existência. Minha mãe e meu pai disseram que você e Deus foram inventados pelo cérebro de ervilha, atrasado e supersticioso, de pastores caipiras e republicanos hipócritas.

De acordo com meus pais, não existe esse troço de Inferno. Se perguntar a eles, provavelmente vão lhe dizer que já reencarnei como uma borboleta, uma célula-tronco ou uma pomba. Quero dizer, meus pais sempre contam como foi importante vê-los caminhar por aí pelados toda hora ou acabaria me tornando uma completa Senhora Perversão. Falaram-me que nada era pecado, apenas má escolha de vida. Mau controle dos impulsos. Que nada é ruim. Qualquer conceito de certo e errado, de acordo com eles, é apenas uma construção cultural de um tempo e local específicos. Diziam que, se houvesse algo que deveria nos forçar a modificar nosso comportamento pessoal, era a fidelidade ao contrato social, não a uma ameaça vaga, externa, de uma punição flamejante. Nada é perverso, insistiam, e até assassinos em série merecem televisão a cabo e aconselhamento, porque esse tipo de criminoso também sofreu na vida.

No espírito do filme clássico de John Hughes, *Clube dos cinco*, comecei a conceber um ensaio, assim como os alunos detidos na Shermer High School tinham de escrever mil palavras sobre o tema: "Quem você pensa que é?".

É, conheço a palavra *conceber*. Coloque-se em meu lugar: estou trancada numa cela no Inferno, com treze anos de idade, condenada a ter essa idade para sempre, mas não perdi totalmente o bom senso.

O pior é que minha mãe disse toda a sua baboseira sobre a Mãe Terra Gaia até na revista *Vanity Fair*, quando promovia o lançamento de seu último filme. A revista tirou a foto dela chegando ao tapete vermelho para receber o Oscar com meu pai dirigindo um carro elétrico minúsculo; mas, sério, quando ninguém está olhando, eles vão para todo lado num jatinho Gulfstream alugado, mesmo que seja para pegar a roupa que mandaram lavar a seco lá na França. Naquele filme ela foi indicada por interpretar uma freira que se sente entediada e vazia, por isso abandona os votos para se prostituir, se drogar com heroína e abortar, antes de conseguir seu *talk show* diurno de primeira e casar com o Richard Gere. Um total de nenhuma pessoa foi ver o filme quando saiu no cinema, mas os críticos babaram. Críticos e resenhistas realmente, *realmente* apostam que o Inferno não existe.

Meu palpite é que o que sinto pelo *Clube dos cinco* é o mesmo que minha mãe sente por Virginia Woolf. Quero dizer, ela teve de tomar Xanax só para ler *As horas*, e ainda assim chorou por quase um ano.

Para a *Vanity Fair*, minha mãe afirmou que o único mal real era a maneira como as grandes empresas de petróleo faziam o aquecimento global provocar a extinção de ursinhos-polares inocentes. Pior ainda foi quando disse:

– Minha filha, Madison, e eu lutamos por anos contra sua trágica obesidade infantil.

Então, sim, compreendo o termo *passivo-agressivo*.

Outras crianças iam para a escola dominical. Eu fui para o Acampamento Ecológico. Em Fiji. Outras meninas aprendiam a recitar os Dez Mandamentos. Eu, a reduzir minhas pegadas de carbono. Na oficina de Talentos Aborígenes, *em Fiji*, usamos folhagens de palmeiras cultivadas de modo sustentável, com certificado de cultivo orgânico, para fabricar carteiras vagabundas que todo mundo jogou fora. O Acampamento Ecológico custa cerca de um milhão de dólares, mas ainda assim temos de dividir o mesmo pauzinho sanitário de bambu sujo para limpar o traseiro. Em vez de Natal, tivemos o Dia da Terra. Se houvesse um Inferno, minha mãe diria que você iria acabar lá por usar casacos de pele ou comprar condicionador testado em coelhinhos por cientistas nazistas que fugiram para a França. Meu pai afirmaria que, se há um diabo, é Ann Coulter.[2] Se

---

2. Advogada, jornalista e polemista norte-americana conhecida por causar controvérsias com seus artigos conservadores, defendendo o presidente George W. Bush, o ex-senador Joseph McCarthy, o bombardeio à Coreia do Norte e atacando a teoria da evolução, a masturbação, a homossexualidade e os muçulmanos. Por ser loira e alta, ficou conhecida como a Barbie da Direita. (N. do T.).

há um pecado mortal, professaria minha mãe, é o isopor. Na maioria das vezes, declamavam esse dogma ambiental enquanto andavam pelados com as cortinas abertas, para que eu não crescesse e me tornasse uma Pervertida da Silva.

Às vezes o diabo era a indústria do fumo. Às vezes, redes de arrasto japonesas.

Pior ainda, não viajamos ao Acampamento Ecológico a bordo de sampanas, conduzidas suavemente ao sabor das correntes do Pacífico. Não, cada moleque que havia lá chegou num jatinho particular, queimando no total um zilhão de galões de combustível fóssil de suco de dinossauro que este planeta jamais voltará a ver. Cada criança veio de um canto, com uma provisão equivalente ao peso corporal em barras de figo orgânicas e petiscos de iogurte de livre comércio zipados dentro de uma embalagem descartável, criada para não se biodegradar antes que a data futura *nunca* chegasse – toda essa carga de crianças com saudades de casa e provisão de calorias entre as refeições e aparatos de videogames ia para Fiji a bordo de foguetes mais rápidos que a velocidade do som.

Que carga gorda de bem fez aquilo... Agora, olhe para mim: morta por uma overdose de maconha e condenada ao Inferno, coçando minhas bochechas até ficarem em carne viva e tentando convencer a vizinha de cela de que sofro de psoríase contagiosa. Cercada por um milhão de milhões de pipocas murchas. O lado bom é que no Inferno você não tem mais de ser escrava do seu status corporal, o que pode ser uma bênção para quem é de fato exigente. Não que queira fazer grande caso disso, mas não há mais o entediante e infinito ato de estoque, evacuação e esfregação de orifícios requerido para manter um corpo físico funcional. Se você estiver no Inferno, sua cela não vai ter privada nem água nem cama, nem você vai sentir falta disso. Ninguém dorme no Inferno, exceto por uma possível postura defensiva de retaliação durante outra apresentação punitiva de O *paciente inglês*.

Sem dúvida minha mãe e meu pai tinham boas intenções, mas é um tanto difícil duvidar do fato de que estou presa numa jaula de ferro corroída com uma visão cênica de uma furiosa cachoeira de excremento – cocô de verdade; quero dizer, não me refiro a O *paciente inglês*. NÃO que esteja reclamando. Confie em mim, a última coisa de que o Inferno parece precisar é de mais gente reclamando; seria chover no molhado.

Sim, conheço a palavra *excremento*. Estou presa e entediada, não com danos mentais.

E foram meus pais que me aconselharam a desestressar um pouco e experimentar drogas recreativas.

Não, não é justo, mas imagino que a pior coisa que me ensinaram foi ter esperança. Se você apenas plantasse árvores e catasse o lixo, diziam, a vida seria boa. Só era necessário transformar o lixo úmido em composto e cobrir o telhado da casa com células solares, e não seria preciso se preocupar com mais nada. Energia eólica renovável. Biodiesel. Baleias. Era isso que meus pais consideravam a salvação espiritual. Víamos aproximadamente um quatrilhão de católicos jogando incenso em alguma estátua de gesso, ou um bilhão de zilhões de muçulmanos alinhados de joelhos em direção a Nova York, e meu pai comentava:

– Esses pobres coitados ignorantes...

Uma coisa é meus pais se comportarem de modo todo humanista e apostarem a própria alma eterna; porém não é *nada* legal terem apostado a minha. Tinham feito suas apostas com toda essa bravata arrogante, mas era eu quem havia perdido.

Víamos os batistas na televisão sacudindo bonecos de bebês empalados em palitos de madeira, pingando sangue de ketchup, na frente da clínica de algum médico, e eu de fato acreditava que todas as religiões eram mesmo compostas de um bando de malucos. Em contraste, meu pai sempre pregou que, se eu comesse bastante fibra e reciclasse garrafas plásticas com gargalo, tudo ficaria bem. Se perguntasse sobre Céu e Inferno, minha mãe me dava um Xanax.

Agora – imagine só –, aguardo minha língua ser arrancada e frita com bacon e alho. Provavelmente os demônios planejam apagar cigarros no meu sovaco.

Não me entenda mal. O Inferno não é tão terrível assim, não se comparado ao Acampamento Ecológico e especialmente se comparado ao colégio. Pode me chamar de ranzinza, mas não tem muita coisa que se compara a ter as pernas depiladas com cera ou o umbigo furado com piercing num quiosque de shopping. Ou bulimia. Não que eu pareça, nem de longe, com uma Periguete da Silva com distúrbios alimentares.

Minha maior fraqueza ainda é a esperança. No Inferno, a esperança é um hábito bem, bem feio, como fumar ou roer as unhas. Esperança é algo que exige muita tenacidade para se deixar de lado. É um vício a vencer.

Sim, conheço a palavra *tenacidade*. Tenho treze anos e sou desiludida e um pouco solitária, mas não limitada.

Não importa o quanto resista ao impulso, continuo esperançosa: ainda terei minha primeira menstruação. Continuo na espera de ficar com peitões bem grandes, como Babette, da cela ao lado. Ou com a esperança de enfiar a mão no bolso da bermuda-saia e encontrar um Xanax. Cruzo os dedos para que, se um demônio me atirar num tonel de lava borbulhante, eu seja jogada pelada junto com River Phoenix, e que ele diga que sou bonita e tente me beijar.

O problema é que no Inferno não há esperança.

Quem eu penso que sou? Em milhares de palavras... não faço ideia, mas estou considerando abandonar a esperança. Por favor, me ajude, Satã. Isso me faria tão feliz. Ajude-me a vencer meu vício em esperança. Obrigada.

IV

*Está aí, Satã? Sou eu, Madison. Pensei ter visto você hoje,
e acenei feito uma groupie louca para atrair sua atenção.
O Inferno continua se mostrando um lugar interessante,
empolgante, e comecei a aprender a demonologia rudimentar
para que não permaneça uma idiota para sempre.
Sério, quase não tenho tempo para sentir saudades de casa.
Hoje até fiz amizade com um moleque que tem
olhos castanhos tão sonhadores...*

Para ser completamente técnica sobre o assunto, o tempo no Inferno não consiste em dias e noites, mas apenas em uma constante condição de iluminação sutil acentuada pelo brilho laranja tremulante das chamas, nuvens brancas de vapor e nuvens negras de fumaça que se desvanecem. Esses elementos se combinam para criar uma atmosfera perpétua de *après ski*.

Isso posto, graças a Deus que eu usava um relógio de pulso com calendário movido a corda. Desculpe, Satã, sem querer disse aquela palavra que começa com D.

Para todos vocês que vivem, que andam por aí, tomam multivitaminas e se ocupam sendo luteranos ou fazendo colonoscopias, é preciso investir num relógio de pulso de boa qualidade, durável, com funções de dia e data. Não conte com recepção de sinal de celular no Inferno, e não pense nem por um segundo que vai ter a prudência de morrer com o carregador em mãos, ou mesmo que vai se encontrar preso numa cela enferrujada com uma solução compatível para a falta de eletricidade. Não significa que tenha de comprar um Swatch. Swatches são feitos de um material parecido com plástico, e plástico derrete no Inferno. Faça um favor a si mesmo e invista num relógio com pulseira de couro de qualidade ou do tipo feito com metal ajustável e flexível.

Caso deixe de se equipar com o relógio de pulso adequado, NÃO eleja uma brilhante e proativa garota gorducha de treze anos que usa alpargatas Bass Weejuns e óculos de fundo de garrafa para lhe perguntar a toda hora: "Que dia é hoje?", "Que horas são?". A mencionada garota inteligente, ainda que rechonchuda, vai apenas simular olhar para o relógio dela e lhe dizer:

– Faz cinco mil anos desde a ÚLTIMA vez que me perguntou isso...

Sim, conheço a palavra *simular*. Posso estar um pouco irritada e na defensiva, mas – não importa a educação que você empregue nesse seu tom de voz bajulador – NÃO sou sua droga de escrava guardiã do tempo.

E, antes que faça o grande esforço de parar de fumar, tome nota: fumar cigarros e charutos é uma prática excelente para quem está no Inferno.

E, antes que faça alguma observação espertinha, baseada em meu temperamento em geral, dizendo que devo estar "de chico" ou "naqueles dias", preciso lembrá-lo de que já estou morta, falecida e mantida eternamente pré-púbere – portanto, imune a imperativos biológicos de reprodução sem sentido que, sem dúvida, moldam cada momento que você respira na sua vidinha débil de ser respirante.

Mesmo agora consigo ouvir minha mãe dizendo:

– Madison, você está morta, então *sossegue o facho*.

Para piorar, não sei no que estava mais viciada: em esperança ou no Xanax.

Na cela ao lado da minha, Babette gasta o tempo examinando as cutículas e polindo as unhas contra a alça da bolsa. Toda vez que olha em minha direção, faço questão de coçar o pescoço e ao redor dos olhos. Jamais pareceu ocorrer a Babette que estamos mortas, portanto doenças como psoríase seriam bem pouco prováveis de se manter no pós-vida; entretanto, quando você considera a escolha dela de esmalte branco, fica claro que Babette não é a ideia que alguém faria de primeira da classe. Uma garota de capa, talvez.

Flagrando meu olhar, Babette me chama:

– Que dia é hoje?

Coçando-me, respondo:

– Quinta.

Na verdade, não deixo que minhas unhas façam contato com a pele; o que executo é um tipo de *air-guitar* equivalente a coçar; do contrário, meu rosto estaria em carne viva como um hambúrguer. O último problema de que preciso é uma infecção num lugar tão imundo.

Estreitando os olhos para dar uma olhada nas cutículas, Babette diz:

– Amo quintas-feiras... – Busca o esmalte branco dentro da bolsa Coach falsa e continua: – Quinta parece sexta, só que sem a pressão de sair e se divertir. É como a véspera da véspera de Natal, sabe, 23 de dezembro... – Sacudindo o vidro de esmalte, Babette diz: – Quinta é tipo um segundo encontro muito, muito legal, quando você ainda acha que o sexo pode ser bom...

Em outra cela bem próxima, alguém começa a gritar. Sozinhas nas celas, outras pessoas se lançam a posturas clássicas de estupor catatônico, vestindo fantasias úmidas de doges venezianos, *vivandiers* napoleônicos, caçadores de cabeça *maori*. Claramente foram capazes de abandonar toda a esperança e agarrar as barras sujas das celas. Agitaram-se e se debateram em completa resignação, e agora se deitam sujos, olhando para o nada, sem se mexer. Canalhas sortudos.

Pintando as unhas, Babette pergunta:

– Agora... que dia é hoje? – Meu relógio diz quinta.

– É sexta – minto.

– Sua pele está melhor hoje – Babette mente também.

Devolvo:

– Seu perfume é tão gostoso!

Babette acrescenta:

– Acho que seus peitos cresceram um pouquinho.

É quando acho que avistei você, Satã. Uma figura enorme aparece na escuridão, passando lá embaixo por uma fileira distante de celas. Pelo menos três vezes maior do que qualquer humano que se esconde atrás das grades, a figura arrasta um rabo pontudo que se alonga desde a base da espinha. Sua pele reluz com escamas de peixe. Grandes asas de couro preto se projetam entre as omoplatas – couro de verdade, não como o gasto Manolo Blahnik falso da Babette –, e chifres grossos de osso irrompem da superfície escamosa no crânio careca.

Perdoe minha possível quebra de protocolo infernal, mas não pude resistir à oportunidade. Levantando a mão e acenando sobre a cabeça como se chamasse um táxi, grito:

– Olá? Senhor Satã? Sou eu, Madison!

A figura chifruda para ao lado de uma das celas, onde um mortal se encolhe e grita em seu uniforme sujo de algum time de futebol americano. Com garras afiadas de águia no lugar das mãos, a figura com chifres abre o cadeado da cela do homem, investiga seu interior e avança para o pequeno espaço, enquanto o cara do uniforme de futebol, berrando sem parar, se esquiva e evita ser pego.

Ainda acenando, eu chamo:

– Aqui! Olhe para cá! – Só queria dar um oi, me apresentar. Parece ser o mais educado a fazer.

Enfim, uma garra pega o homem ofegante e o tira da jaula de ferro. Os prisioneiros em todas as celas ao redor gritam, afastando-se o máximo possível daquela movimentação; cada um treme em algum canto distante, olhos esbugalhados e hiperventilando.

Os berros combinados soam roucos e entrecortados pelo esforço. Da mesma maneira que você desmembraria um caranguejo em uma panela com água fervente, a figura chifruda agarra uma das pernas do jogador de futebol e a torce para um lado e para outro, a articulação do quadril estalando e os tendões se partindo, até a perna se soltar do torso. Repetindo o processo, a figura remove cada um dos membros do homem, levando-os à boca de dentes afiados como os de um tubarão e arrancando a pele carnuda e hipertrofiada dos ossos do cara.

O tempo todo continuo a chamar:

– Oi? Tem um momentinho, senhor Satã... – Estou incerta quanto à etiqueta ao interromper uma refeição assim.

Depois de consumir cada membro, a figura com chifres joga os ossos que restaram de volta à cela do jogador de futebol americano. Até mesmo os gritos são abafados em meio aos ruídos de sucção, lábios estalando e mastigação. Então, um estrondoso arroto. Quando por fim o cara é reduzido a um tórax de ossos, igualzinho a uma carcaça revirada de um peru de Ação de Graças, com as costelas brancas e pequenos pedaços pendurados de pele, só aí a figura chifruda joga o resto final na cela e tranca a porta mais uma vez.

Diante dessa trégua, salto de maneira abrupta em meu lugar, acenando com ambas as mãos sobre a cabeça e berrando. Sempre tomando cuidado para não tocar nas barras sujas da jaula, grito:

– Oi?! Aqui é a Madison! – Pego uma pipoca murcha e arremesso, aos berros: – Estava morta de vontade de conhecer você!

Os ossos soltos e ensanguentados do jogador de futebol já estão se reunindo, formando de novo um ser humano, mais uma vez se revestindo de músculos e pele, reconstituindo-se para recriar o cara, que logo estará restaurado para ser torturado mais uma vez, de forma indefinida, para sempre.

Com a fome aparentemente saciada, a figura chifruda se vira e começa a caminhar para longe.

Em desespero, grito. Não, não é justo; eu lhe disse que gritar no Inferno é chover no molhado. Considero gritar uma total falta de educação, mas ainda assim estou aos berros:

– Senhor Satã!

A figura chifruda e alta se foi.

Da porta ao lado, a voz de Babette diz:

– Que dia é hoje?

A vida no Inferno é como desenho animado antigo da Warner Bros., no qual as personagens são eternamente decapitadas por guilhotinas e desmembradas por explosões de dinamite, depois restauradas por completo para o próximo assalto. É um sistema que não deixa de trazer conforto e monotonia.

Ouve-se uma voz:

– Não é Satã. – De uma cela próxima, um adolescente continua: – Esse é o Ahriman, só um demônio do deserto iraniano. – O garoto usa uma camisa abotoada de manga curta enfiada em calças de algodão cáqui. Tem um relógio de pulso grosso com funções de mergulho em profundidade e uma calculadora embutida. Nos pés, Hush Puppies de sola crepe, e as barras das calças são tão curtas que dá para ver as meias brancas. Revirando os olhos e balançando a cabeça, o garoto comenta: – Caramba, você não sabe *nada* sobre teologia antropológica intercultural antiga básica?

Babette se abaixa e começa a lustrar os sapatinhos com outro lenço de papel embebido em cuspe.

– Cale a boca, seu nerd – murmura.

– Falta minha – respondo. Aponto um dedo para mim mesma. Que gesto babaca... Mesmo no calor sufocante do Inferno, consigo me sentir corando. – Sou a Madison.

– Eu sei – o garoto responde. – Tenho ouvidos.

Só de ver os olhos castanhos do menino... a terrível, horrível pontada de esperança cutuca minhas banhas.

Ele explica que Ahriman não é nada além de uma entidade deposta da antiga cultura persa. Era gêmeo de Ohrmazd, nascido do deus Zurvan, o Criador. Ahriman é responsável por envenenamento, seca, fome, escorpiões, esses clichês do deserto. O filho dele se chama Zohak e tem cobras venenosas que crescem da pele de seus ombros. De acordo com o garoto, a única comida que essas cobras comem é cérebro humano. Tudo isso... é tão coisa de moleque adolescente em posse de cultura inútil nojenta! Tão Dungeons & Dragons.

Babette lustra as unhas contra a alça da bolsa, ignorando-nos.

O moleque volta a cabeça para a direção em que a figura chifruda desapareceu.

– Geralmente – comenta – ele anda pela outra margem do Lago de Vômito, a oeste do Rio de Saliva Quente, na margem oposta do Lago de Merda... – O garoto dá de ombros. – Para um demônio, ele é bem bacana.

Ouve-se a voz de Babette; interrompendo, ela diz:

– Ahriman me comeu uma vez... – Vendo a expressão no rosto do moleque e observando a frente "armada" da calça, explica: – Não do jeito que está pensando, babaca nojentinho.

É, posso estar morta e sofrendo de um complexo de inferioridade de primeira, mas consigo reconhecer uma ereção quando vejo uma.

Mesmo com o ar fétido de cocô ao redor se enchendo de moscas negras e robustas, pergunto ao garoto:

– Qual é seu nome?

– Leonard – ele diz.

Pergunto:

– Foi condenado ao Inferno por quê?
– Bater punheta – fala Babette.
Leonard retruca:
– Atravessar fora da faixa.
Pergunto:
– Gosta do *Clube dos cinco*?
Ele diz:
– O que é isso?
Pergunto:
– Você me acha bonita?

O garoto, Leonard, passa os sonhadores olhos castanhos, acesos como vespas, por minhas pernas gorduchas, os óculos fundo de garrafa, meu nariz torto e os peitos de tábua. Desvia para Babette. Olha para mim de novo, as sobrancelhas arqueadas até o cabelo, franzindo a testa numa sanfona de dobras. Sorri, mas balança a cabeça: não.

– Só estava testando – explico, e disfarço meu sorriso fingindo coçar o eczema que não tenho na bochecha.

V

Está aí, Satã? Sou eu, Madison. Depois de um começo meio turbulento, estou aproveitando bastante. Continuo conhecendo gente nova, e desculpe aí por ter me confundido... imagine só: confundir um demoniozinho mixuruca de nada com você. Aprendo coisas novas e interessantes todo o tempo com o Leonard. Além do mais, planejei uma estratégia genial sobre como superar o vício insidioso em esperança.

Quem poderia imaginar que teologia antropológica intercultural fosse absolutamente fascinante! De acordo com Leonard, que realmente tem lindos olhos castanhos, todos os demônios no Inferno antigamente reinavam como deuses em culturas antigas.

Não, não é justo, mas o deus de um homem é o diabo de outro. Quando cada civilização sucessora se torna um poder dominante, entre suas primeiras ações está destituir e demonizar quem quer que a cultura anterior tenha adorado. Os judeus atacaram Belial, o deus dos babilônios. Os cristãos baniram Pã, Loki e Marte, entidades dos antigos gregos, celtas e romanos, respectivamente. Os anglicanos britânicos baniram a crença nos espíritos aborígenes australianos conhecidos como Mimi. Satã é retratado com cascos fendidos, porque Pã os tinha, e carrega um tridente inspirado no carregado por Netuno. Conforme cada entidade ia sendo deposta, era relegada ao Inferno. Para deuses há tanto tempo acostumados a receber tributo e atenção afetuosa, claro que essa mudança de status os deixou loucos da vida.

E, sim, eu já conhecia a palavra *relegada* antes de ter saído da boca de Leonard. Posso ter treze anos e ser uma novata no submundo, mas não me tache de idiota.

– Nosso amigo Ahriman foi originalmente expulso do panteão pelos iranianos pré-zoroastristas – diz Leonard, apontando o dedo indicador em minha direção e acrescentando: – mas não fique tentada a considerar essenismo como um avatar judaico de masdeísmo.

Balançando a cabeça, Leonard afirma:

– Nada relacionado a Nabucodonosor II, e Ciáxares é tão simples assim.

Babette observa o pó compacto que segura em uma das mãos, enquanto retoca a sombra com um pequeno pincel. Levantando o olhar do reflexo no espelhinho, Babette diz a Leonard:

– Não dá para SER mais entediante?

Entre os primeiros católicos, ele continua a explicar, a Igreja descobriu que o monoteísmo não poderia substituir o tão amado politeísmo, agora ultrapassado e considerado pagão. Os celebrantes estavam bem acostumados a louvar entidades individuais, por isso a Igreja criou vários santos, cada um deles uma duplicata de uma antiga entidade, representando amor, sucesso, recuperação de doenças etc. Enquanto as batalhas endureciam e reinos se erguiam e desmoronavam, o deus Aryaman foi substituído por Sraosha. Mithra suplantou Vishnu. Zoroastro tornou Mithra obsoleto, e, a cada deus sucedido, a antiga entidade reinante era jogada na obscuridade e no desprezo.

– Até mesmo a palavra *demônio* – Leonard esclarece – originou-se de teólogos cristãos que interpretaram errado *daimon* nos escritos de Sócrates. Originalmente, a palavra queria dizer "musa" ou "inspiração", mas a definição mais comum era "deus".

Ele acrescenta que, se a civilização durar o suficiente no futuro, um dia Jesus vai estar escondido pelo Hades, banido e demitido de seu posto.

– Besteira! – um homem berra.

Gritos irrompem da cela do cara do futebol, onde há ossos desnudos fervilhantes de corpúsculos vermelhos, bolhas vermelhas correndo para formar músculos, que incham e se alongam para prender os tendões, os ligamentos brancos se entrelaçando num processo ao mesmo tempo fascinante e revoltante de se assistir. Assim que uma camada de pele cobre totalmente o crânio, a mandíbula se abre para gritar:

– Está falando *merda*, nerd! – O fluxo da nova pele se quebra como uma onda rosa para formar lábios ao redor dos dentes, e os lábios dizem: – Continue falando essas merdas, pamonha! É exatamente por isso que está preso aqui.

Sem levantar o olhar do próprio reflexo no espelho compacto, Babette pergunta:

– E você, está aqui por quê?

– Cometi muitos *offsides* – o cara do futebol responde.

Leonard grita:

– Por que eu estou aqui?

Indago:

– O que são *offsides*?

Cabelos ruivos crescem do couro cabeludo do cara. Crespos, acobreados. Olhos cinza se inflam em cada órbita. Até o uniforme se tece inteiro dos trapos e pedaços jogados pelo chão da cela. Impresso nas costas de seu jérsei está o número 54 e o nome Patterson. Para mim, o jogador diz:

– Tinha uma parte do meu pé sobre a linha de combate quando o juiz apitou o sinal para começar a jogar. Isso é um *offside*.

Pergunto:

– E isso está na Bíblia?

Já de posse de seu cabelo e pele, dá para ver que é só um jogador de escola. Tem dezesseis, talvez dezessete anos. Enquanto fala, arames prateados se reconstituem em seus dentes, formando um aparelho.

– Aos dois minutos do segundo quarto – ele diz – interceptei um passe e fui derrubado pelo ataque defensivo... bum! Agora estou aqui.

De novo Leonard grita:

– Mas *por que eu estou aqui*?

– Porque não acredita num Deus verdadeiro – diz Patterson, o jogador de futebol americano. Agora que ele está todo revestido de pele novamente, os novos olhos encaram Babette. Ela não tira o olhar do espelhinho, mas faz caras e bocas, biquinho e joga o cabelo, batendo os cílios com rapidez. Como minha mãe diria: "Ninguém fica parado tão retinho quando não está em frente de uma câmera". Traduzindo: Babette adora ser admirada.

Não, não é justo. Das respectivas celas, Patterson e Leonard ficam olhando para Babette dentro da dela. Ninguém olha para mim. Se quisesse ser ignorada, teria permanecido na terra como um fantasma, vendo minha mãe e meu pai andando por aí pelados, abrindo as cortinas e esfriando os quartos enquanto os atazanava para vestirem alguma roupa. Se aquele demônio, Ahriman, aparecesse para me destroçar e me devorar, seria melhor que não ter atenção nenhuma.

Lá vou eu de novo – essa minha tendência irritante de ter esperança. Meu vício.

Enquanto Patterson e Leonard paqueram Babette, e Babette paquera a si mesma, finjo observar os morcegos-vampiros voando por ali. Vejo as ondas se formarem e quebrarem, marrons, no Lago de Merda. Finjo coçar a psoríase de faz de conta no rosto. Nas jaulas vizinhas, pecadores encolhem-se, chorando por hábito. Uma alma desgraçada vestida com o uniforme de um soldado nazista bate o rosto, seguidamente, no chão de pedra da cela, quebrando o nariz e a testa como se batesse um ovo cozido no prato para retirar a casca. Na pausa entre cada impacto, o nariz e o rosto quebrados inflam e voltam à aparência normal. Em outra cela, um adolescente usa uma jaqueta de motoqueiro de couro preto com um enorme alfinete de segurança perfurando-lhe a bochecha, a cabeça raspada com exceção de um tufo de cabelo tingido de azul e besuntado de gel, para ficar espetado num moicano que vai da testa à nuca. Enquanto observo, o punk de jaqueta de couro toca a bochecha e abre o alfinete de segurança. Tira-o dos buracos da pele, para em seguida passá-lo pelas grades da cela e enfiar a ponta do alfinete no cadeado da porta, trabalhando na fechadura.

Ainda olhando para si mesma no espelhinho, Babette pergunta a ninguém em particular:

– Que dia é hoje?

O braço de Leonard dobra instantaneamente, e ele olha para o relógio-cronógrafo.

– É quinta. Três e nove da tarde. – Um pouco depois, diz: – Não, espera... agora são três e dez.

Um pouco à frente, aparece um gigante com cabeça de leão, pelo preto desgrenhado, com garras de gato em vez de mãos. Busca numa jaula e traz para fora um pecador que se debate e berra, levantando-o pelo cabelo. Da mesma maneira que você retira uvas de um cacho, os lábios do demônio se fecham nas pernas do homem. As bochechas peludas do demônio se afundam, murcham, e os gritos do homem ficam mais altos enquanto a carne é sugada do osso em vida. Com uma perna reduzida a um osso pendurado, o demônio começa a sugar a carne da segunda perna.

Apesar de todo o escândalo, Leonard e Patterson continuam espiando Babette, que espia a si mesma. A Era do Gelo da Pamonhice.

Com um tinido abafado, o punk de jaqueta de couro gira a ponta do alfinete do lado de dentro da fechadura, para destravar o mecanismo. Retira o alfinete, esfrega-o nos jeans até que a ponta fique limpa de ferrugem e meleca, antes de enfiar no lugar de antes, nos furos da bochecha. Com isso, o punk abre a porta da cela e sai. Seu moicano é tão alto que o cabelo azul raspa no topo da jaula.

Passando todo animadinho pela fileira de celas, o punk de moicano azul espia cada jaula. Dentro de uma há um faraó egípcio ou alguém que foi para o Inferno por rezar para o deus errado; está amontoado no chão, gaguejando e babando, um braço estendido para que a mão descanse perto das grades da jaula. Um anel robusto de diamante brilha em um dos dedos, uma pedra de uns quatro quilates, não um zircônio lapidado como os brincos fajutos de Babette. Ao lado dessa cela, o garoto punk se detém. Esticando-se pelas grades, tira o anel do dedo cansado. O moleque enfia o diamante no bolso da jaqueta.

De pé, ele me vê olhando e vem todo faceiro em direção à minha cela. Usa botas pretas de motoqueiro – dica: uma escolha excelente de calçado para o Hades –, o tornozelo de uma das botas está enrolado com uma corrente de bicicleta, o outro com uma suja bandana vermelha. Há espinhas inflamadas em pontos vermelhos no queixo pálido e na testa, que contrastam com os olhos bem verdes. Quando o punk moicano chega mais perto, enfia uma das mãos no bolso da jaqueta e tira alguma coisa. De um longo arremesso, ainda caminhando, ele diz "pegue", e a mão se prepara, atirando o objeto, que brilha numa trajetória alta em arco, voando entre as grades da minha jaula e caindo em minhas mãos, que se juntam para pegá-lo.

Agindo como uma completa Vagaba da Silva, Babette continua a ignorar Patterson e Leonard, mas segura o espelho num ângulo para espiar o punk, examinando-o tão de perto que, quando o objeto jogado brilha, reflete no espelho e nos olhos dela.

– O que uma moça boazinha como você – o moicano me pergunta – faz num lugar desses?

Quando ele fala, o alfinete de segurança nas bochechas gira, refletindo o alaranjado da luz do fogo. Aproxima-se das grades da minha cela e pisca um olho verde, mas observa Babette sem olhar diretamente para ela.

Está claro que tocou as barras de ferro sujas, depois tocou o rosto, os jeans, as botas, espalhando sujeira nele todo. Não, não é justo, mas a sujeira consegue fazer algumas pessoas ficarem ainda mais *sexy*.

– Meu nome é Madison – digo – e sou uma esperançosa inveterada.

Sim, conheço a palavra *mula*. Posso estar morta e ser chave de cadeia e louca por um garoto, mas ainda posso ser usada para deixar outra menina com ciúme.

Quente e direto do bolso do punk, bem na palma da minha mão, está o anel de diamante roubado. Meu primeiro presente de um menino.

Tirando o alfinete de segurança da bochecha, o moleque de moicano enfia a ponta afiada no meu cadeado e começa a cutucar a fechadura.

VI

Está aí, Satã? Sou eu, Madison. Creio que ser membro do Inferno lhe dê acesso a zilhões de milhões de celebridades de primeira... Bem, a única pessoa que não estou muito empolgada para encontrar é meu avô falecido. O pai do meu pai, há muito morto, Ben. É uma longa história. Por favor, credite o impulso à minha curiosidade juvenil, mas não pude resistir à oportunidade de sair por aí e dar uma olhada à toa para verificar a situação da minha nova vizinhança.

Poupe-me, por favor, da sua psicologia barata, mas de fato tenho esperança de que o diabo goste de mim. Note novamente minha ligação com a palavra começada com *E*. Estar aqui, trancada nessa jaula gosmenta, pode dar a entender que Deus não é meu maior fã, e meus pais, ao que parece agora, são carta fora do baralho, assim como meus professores favoritos, nutricionista e todas as figuras de autoridade que tentei agradar ao longo desses últimos treze anos. Portanto, não é de surpreender que tenha transferido todas as minhas necessidades imaturas de atenção e afeição ao único adulto parental disponível: Satã.

Eis aqui duas palavras: a com *E* e a com *D*, que encerram a tenacidade do meu vício por coisas alegres e otimistas. Para ser honesta, todos os meus esforços até agora foram inúteis: cuidar da minha postura, apresentar-me como ousada, portar um sorriso animado, tudo calculado para cair nas graças de Satã. Na melhor das hipóteses, consigo me ver como uma espécie de ajudante ou assumindo um papel cômico, tornando-me a menina atrevidinha, gorducha e petulante que anda com o Príncipe das Mentiras, fazendo piadas engraçadinhas e levantando seu ego cansado. Fiquei impregnada dessa natureza vibrante de tal maneira que não consigo fazer o Príncipe das Trevas cair no tédio. Realmente, sou um tipo de Zoloft de carne e osso. Talvez isso explique a ausência geral de Satã: ele aguarda, apenas, que meu entusiasmo se esgote antes de se apresentar.

Sim, entendo de psicologia pop. Posso estar morta e ser vivaz, mas não estou em processo de negação a respeito da primeira impressão maníaca que posso gerar.

Mesmo meu pai diria: "Ela é uma dervixe". Traduzindo: costumo exaurir as pessoas.

É por esse motivo que, quando o punk moicano destranca minha cela e a abre com o rangido de dobradiças enferrujadas, recuo um passo, mais para o fundo da cela, em vez de avançar e me libertar. Apesar do anel de diamante que o punk jogou para mim, que agora reside no meu dedo do meio da mão direita, resisto ao desejo de sair. Pergunto o nome do moleque:

– Eu? – ele falou, enfiando o alfinetão na bochecha. – Pode me chamar de Archer.

Ainda dentro da cela, indago:

– O que você fez?

– Eu? – o moleque, Archer, responde. – Peguei a AK-47 semiautomática do meu velho... – Abaixando-se num dos joelhos, coloca um rifle invisível no ombro. – E estourei meu velho e minha velha. Trucidei meu irmãozinho e minha irmãzinha. Depois deles, minha vovó. Depois, a cachorra, uma collie, Lassie... – Pontuando cada frase, Archer puxa um gatilho imaginário, encarando o cano do rifle-fantasma. A cada disparo, o ombro vai para trás, ricocheteando, o cabelo azul espetado ondulando. Ainda olhando através de uma mira invisível, Archer diz: – Joguei minha Ritalina pela privada e dirigi o carro dos meus velhos até a escola. Apaguei o time de futebol americano e três professores... todos eles, mortos, mortos, mortos.

Quando fica de pé, leva o buraco do cano do rifle imaginário até a boca, faz um biquinho e assopra a fumaça invisível da arma.

– Besteira – grita uma voz, Patterson, o jogador de futebol, totalmente restaurado como adolescente de cabelos ruivos e olhos cinza, e um número 54 grande na blusa. Numa das mãos, carrega um capacete. Os pés arranham o chão de pedra, as solas do sapato batem e deslizam com chapinhas de aço.

– É tudo baboseira – Patterson diz, negando com um gesto de cabeça. – Vi sua papelada quando chegou aqui. Diz que você não é nada mais que um ladrãozinho de loja.

Leonard, o nerd, dá uma risada.

Archer pega do chão uma pipoca dura como pedra e a arremessa. Ela bate direto contra a orelha do nerd.

Pipoca e canetas de seu bolso voam por todo lado. Leonard fica em silêncio.

– Olha só – fala Patterson. – De acordo com a ficha do senhor Assassino em Série aí, ele tentava roubar pão e um pacote de fraldas descartáveis.

Com isso, Babette levanta o olhar do espelho.

– Fraldas?

Archer avança para as grades da cela de Patterson, enfiando o queixo entre elas e rosnando com dentes cerrados. Diz:

– Cale a boca, marombeiro!

Babette pergunta:

– Você tem um bebê?

Virando-se para ela, Archer grita:

– Cale a boca!

– Volte para sua cela – Leonard grita –, antes que arrume encrenca para todos nós.

– O quê? – Archer grita. Ele se vira, todo valentão, ao mesmo tempo extraindo o alfinete de segurança da bochecha, e então começa a cutucar o cadeado da cela de Leonard. – Está com medinho de que essa ocorrência vá entrar no *histórico escolar*, bitolado? – Abrindo o cadeado, Archer continua:

– Está com medinho de não entrar na faculdade? – Com isso, abre a porta.

Agarrando a porta e fechando-a, Leonard diz:

– Não faça isso.

Destrancada, a porta não fica fechada e se escancara. Segurando-a, Leonard pede:

– Tranque, antes que algum demônio venha...

A cabeça azul de Archer já está se voltando para a cela de Babette; com o alfinete em punho, ele fala:

– Ei, docinho. Conheço um mirante que dá para o canto oeste do Mar de Insetos. Ele vai deixar você sem ar. – E passa a cutucar o cadeado da cela dela.

Leonard continua a puxar as barras da cela, mantendo-a fechada.

Minha porta está aberta. Fecho minha mão em punho ao redor do novo anel de diamante.

Patterson grita:

– Seu fracassado, você não conseguiria avançar um passo além do Lago de Merda.

Quando abre a porta de Babette, Archer grita em resposta:

– Então, junte-se a nós, marombeiro. Mostre que é capaz.

Jogando os cosméticos na bolsa Coach falsa, Babette diz:

– É... se tiver coragem.

Sem nenhum motivo aparente, ela agarra a saia já curta e suspende a barra, como para evitar que arraste no chão. Sendo uma completa Periguete da Cunha, com as pernas à mostra quase até a calcinha, Babette dá um passo pela porta aberta, caminhando delicadamente sobre os sapatos fajutos.

Leonard abaixa-se para pegar as canetas espalhadas. Tira dos cabelos pedaços grudentos de pipoca.

Archer caminha todo exibido para a cela de Patterson. Segurando o alfinete de segurança para fora das grades, além do alcance de Patterson, provocando-o, Archer diz:

– Está a fim de uma viagem de campo?

Para atrair a atenção de Leonard, conto a ele minha teoria sobre terapias de modificação de comportamento, contrapondo-a aos simples exorcismos da antiga. Hoje em dia, se qualquer uma das minhas amigas vivas se sentar no quarto vomitando o dia todo, o diagnóstico será bulimia. Em vez de chamar um padre para confrontar a menina sobre seu comportamento, expressar amor e preocupação e desalojar o demônio que a possui, famílias contemporâneas entram em terapia comportamental. É esquisito pensar que até 1970 líderes religiosos jogavam água benta em meninas adolescentes com distúrbios alimentares.

Minha esperança realmente é eterna; mas, droga, Leonard não está ouvindo.

Agora, Archer libertou Patterson. Babette se junta a eles, e o trio já caminha em direção ao horizonte em chamas, entre gritos e enxames de moscas-varejeiras. Patterson oferece a mão para firmar Babette no salto alto. Archer tem um sorriso de zombaria no rosto, mas pode ser só resultado do alfinete metido através da bochecha.

Enquanto continuo a falar, expondo minha teoria sobre vício em Xanax causado por possessão demoníaca, Leonard, o garoto dos adoráveis olhos castanhos, abre a porta da cela e segue atrás dos andarilhos, que desaparecem. Meu último novo amigo no Inferno, Leonard, arrastando-se sobre o terreno de ursinhos de goma envelhecidos e carvão fumegante. Sua cabeça gira de um lado a outro; atento a possíveis demônios, grita:

– Esperem! Esperem aí.

Corre atrás do ponto azul do moicano de Archer, que desaparece.

Quando mal se veem os quatro, reduzidos ao longe em simples pontos que quebram a uniformidade do cenário de cocô borbulhante e jujubas descartadas, abro minha própria cela e dou os primeiros passos proibidos sobre os tais sapatos Bass Weejun em busca deles.

VII

Está aí, Satã? Sou eu, Madison. Como tantos outros turistas, embarcamos nessa caminhadinha para explorar o Inferno. Tomamos nota da topografia geral. Vimos alguns pontos interessantes. E sou levada a fazer uma pequena confissão.

Nosso grupo passou ao redor da margem do escamoso e gordurento Deserto de Caspa, onde ventos ardentes, quentes como um bilhão de secadores de cabelo, sopram as crostas de pele morta em correntes altas como a Matterhorn.[3] Perambulamos por ali, passando pelas Grandes Planícies de Caco de Vidro. Depois de uma boa caminhada, chegamos a um penhasco de cinzas vulcânicas que dava para um vasto oceano pálido estendendo-se ao horizonte. Nenhuma onda ou trepidação perturba a superfície

---

3. A montanha mais conhecida dos Alpes. (N. do T.).

opalescente: um tom de mármore encardido, similar ao do couro falso desgastado dos sapatos Manolo Blahnik de Babette.

Enquanto observamos, a maré viscosa composta dessa gosma branca parece se erguer e consumir um palmo da praia cinzenta. Tão denso é o líquido, que parece mais rolar sobre a praia do que lavá-la enquanto a maré sobe. Aparentemente, nesse oceano em particular, a maré nunca recua e está sempre subindo, sempre maré alta.

– Dá só uma olhada – diz Archer, e desenha com um braço de jaqueta de couro um arco amplo para mostrar a vista. – Senhoras e senhores, apresento-lhes o Grande Oceano de Esperma Desperdiçado...

De acordo com Archer, todas as ejaculações expelidas em masturbações durante toda a história da humanidade, pelo menos desde Onã, tudo escorre e se acumula ali. Da mesma maneira, ele explica, todo o sangue derramado na terra goteja e é coletado no Inferno. Todas as lágrimas. Cuspe do chão. Tudo termina por aqui.

– Desde a introdução de fitas VHS e o advento da internet – fala Archer –, este oceano cresce num padrão recorde.

Penso no pai do meu pai, Ben, e estremeço. Repetindo: é uma longa história.

No Inferno, o pornô cria um efeito equivalente ao do aquecimento global na Terra.

Nosso grupo recua um passo, distanciando-se da gosma reluzente, que aumenta.

– Agora que esse pamonha está morto – Patterson diz, e bate na nuca de Leonard –, talvez o velho mar de esperma não vá se encher com tanta rapidez.

Leonard esfrega o couro cabeludo fazendo uma careta.

– Não olhe agora, Patterson, mas acho que posso ver sua gosma flutuando por aí.

Desviando o olhar para Babette, Archer umedece os lábios.

– Um dia desses, vamos estar com isso até os olhos...

Babette olha o anel de diamante no meu dedo. Archer, ainda de olho nela, comenta:

– Ei, Babs, já esteve com esperma quente até esses olhos de gata?

Girando no salto gasto, Babette retruca:

– Cai fora, Sid Vicious. Não sou sua Nancy Spungen. – Acenando para que a seguíssemos, balançando as unhas pintadas de branco, Babette olha para Patterson no uniforme de futebol americano. – É sua vez. Agora você nos mostra algum lugar interessante.

Patterson engole em seco, dá de ombros e sugere:

– Querem ver o Pântano de Abortos dos Semiformados?

Todos balançamos a cabeça. Não. Lentamente, em uníssono, por um longo tempo: não, não, não. Definitivamente não.

Enquanto Babette se afasta do Oceano de Esperma Desperdiçado, Patterson dá uma corridinha para alcançá-la. Os dois dão os braços, caminhando juntos. O capitão do time e a líder de torcida. O resto de nós, Leonard, Archer e eu, seguimos alguns passos atrás.

Para ser sincera, continuo desejando que todos pudéssemos conversar. Ter um longo papo. E, sim, sei que esse desejo é outro sintoma de esperança, mas não posso evitar. Enquanto seguimos devagar, passando por pedras fumegantes de enxofre e carvão, quero perguntar se alguém mais sente uma vergonha profunda. Ao morrer, sentem que decepcionaram todo mundo que se importou em amá-los? Depois de todo o esforço que tanta gente teve para criá-los, alimentá-los e educá-los, Archer, Leonard ou Babette nutrem uma sensação esmagadora de terem fracassado com os entes queridos? Preocupam-se com o fato de que morrer se constitua no maior pecado que possam ter cometido? Já consideraram a possibilidade de que, ao morrer, cada um tenha gerado dor e tristeza de que os sobreviventes precisarão padecer para o resto da vida?

Ao morrer – pior do que repetir de ano na escola, ou ser preso, ou arrumar às pressas um par para o baile da escola –, talvez tenhamos ferrado com tudo, irreversivelmente.

Mas ninguém traz esse assunto à tona. Nem eu.

Se perguntasse à minha mãe, ela diria que sempre fui meio covarde. Como minha mãe diria: "Madison, você está morta... agora, pare de ser tão *carente*".

É provável que todos pareçam covardes se comparados a meus pais. Estavam sempre alugando um jatinho para ir ao Zaire e trazer para casa um irmão ou irmã adotado para o Natal – não que comemorássemos o Natal –, mas, do mesmo modo que meus amigos podem encontrar um cachorrinho ou gatinho na árvore de Natal deles, eu encontrava um novo irmão de algum lugar obscuro, pós--colonial, que vivia num pesadelo. Meus pais tinham boa intenção, mas de boas intenções e golpes publicitários o Inferno está cheio. Qualquer adoção ocorria dentro do círculo de mídia dos lançamentos de filme de minha mãe ou das ofertas públicas iniciais de ações do meu pai, e era anunciada com estrondo – uma inundação de *press releases* e fotos de divulgação. Após a blitz da mídia, meu novo irmão adotado seria enfiado num apropriado colégio interno, não mais passaria fome e teria uma educação e um futuro mais promissores, mas jamais se apresentaria à mesa de jantar.

Enquanto caminhamos, agora passando pelas Grandes Planícies de Cacos de Vidro, Leonard explica como os antigos gregos concebiam a vida após a morte no Hades, um lugar para onde tanto corruptos quanto inocentes iam para esquecer dos pecados e do ego cultivados na vida terrena. Judeus acreditavam em Sheol, que se traduzia por "lugar de espera", onde todas as almas se reuniam, sem importar crimes ou virtudes, para descansar e encontrar a paz, ignorando agressões passadas e laços terrenos. É meio como ir ao Inferno para se desintoxicar ou reabilitar, em vez de ele ser uma punição escaldante. Na maior parte da história da humanidade, como diz Leonard, as pessoas viram o Inferno como um tipo de clínica aonde ir para abandonar os vícios adquiridos em vida.

Sem diminuir o passo, Leonard comenta:

– John Scotus Eriugena escreveu durante o século IX que o Inferno é um lugar onde os próprios desejos se apoderam de você, levando-o para longe de Deus e dos planos originais que Deus tinha para conduzir sua alma à perfeição.

Sugiro que talvez devêssemos dar uma passada naquele pântano de gravidez interrompida. Há uma boa possibilidade de que possa deparar com um irmãozinho perdido, ou dois.

Sim, posso ser espertinha e cínica, mas sei o que constitui um bom mecanismo de defesa psicológica.

Tagarelando enquanto caminhamos, Leonard dá uma palestra sobre a estrutura de poder do Hades. Descreve como, na metade do século XV, um judeu austríaco chamado Alphonsus de Spina se converteu ao cristianismo, tornando-se um monge franciscano, depois um bispo e, enfim, compilando uma lista de entidades demoníacas que povoam o inferno. Os números alcançaram a casa dos milhões.

– Se virem alguém com uma cabeça chifruda de cabra, peitos de mulher e asas negras de corvo – explica Leonard –, esse é o demônio Baphomet. – Contando no ar, acenando com o dedo indicador da mesma forma que um maestro que conduz a orquestra, prossegue: – Você tem o hebraico Shedim; os reis demônios gregos Abadão e Apolião. Abigor comanda sessenta legiões de demônios. Alocer comanda 36. Furfur é um conde real do Inferno que comanda 26 legiões...

Assim como a Terra é comandada por uma hierarquia de líderes, o Inferno também é, segundo Leonard. A maioria dos teólogos, entre eles Alphonsus de Spina, descreve o Inferno como detentor de dez ordens de demônios. Entre estes, 66 são príncipes, cada um supervisionando 6.666 legiões, e cada legião consistindo em 6.666 demônios. Entre eles está Valafar, grande duque do Inferno; Rimmon, médico-chefe do Inferno; Ukobach, engenheiro-chefe do Inferno e supostamente inventor dos fogos de artifícios, tendo-os apresentado como presentes para a humanidade. Leonard vai soltando nomes: Zaebos, que possui cabeça de crocodilo sobre os ombros... Kobal, demônio patrono dos comediantes humanos... Succorbenoth, demônio do ódio...

Leonard continua:

– É como Dungeons & Dragons, só que elevado à décima potência. Sério, os maiores crânios da Idade Média dedicaram a vida toda à tarefa teológica de contar e processar esses dados.

Balançando a cabeça em concordância, digo que queria que meus pais tivessem feito o mesmo.

Esporadicamente ao longo da jornada, Leonard faz uma pausa para apontar uma figura ao longe. Uma delas, voando pelo céu alaranjado, batendo as asas pálidas e respingantes de cera derretida, é Troian, demônio da noite na cultura russa. Voando por uma trajetória diferente, os olhos luminosos de uma coruja espiando da cabeça ampla, está Tlacatecolototl, deus mexicano do mal. Envolto em ciclones de chuva e poeira, há os demônios japoneses Oni, que tradicionalmente vivem no centro dos furacões.

O que o Projeto Genoma Humano representa para futuros pesquisadores, Leonard explica, esse grande inventário representou em séculos passados para líderes mundiais.

De acordo com o bispo de Spina, um terço dos anjos do Céu foi mandado para o Inferno, e essa diminuição divina, essa faxina celestial, levou nove dias inteiros – dois dias a mais do que Deus levou para criar a Terra. Ao todo, um total de 133.306.668 anjos – entre eles antigos querubins, potentados, serafins e anjos de quarta ordem muito reverenciados – foram realocados à força, como Asbeel, Gaap, Oza, Marut e Urakabarameel.

À nossa frente, onde caminhava de braço dado com Patterson, Babette se desvencilha com uma risada estrondosa, alta, aguda e tão falsa quanto suas sandálias.

Archer a observa, o grande alfinete de segurança preso nos músculos da mandíbula travada.

Leonard vai soltando os nomes de diferentes demônios que podemos encontrar: Baal, Belzebu, Belial, Liberace, Diabolos, Mara, Pazuzu – assírio com cabeça de morcego e cauda de escorpião –, Lamashtu – demônio feminino sumério que amamenta um porco em um seio e um cachorro em outro – ou Namtaru – versão mesopotâmia da nossa morte com foice contemporânea. Procuramos Satã com a mesma intensidade que minha mãe e meu pai procuravam Deus.

Pensando agora, meus pais sempre me pressionaram para expandir minha consciência inalando cola ou gasolina, ou mastigando botões de peiote. Apenas porque já fizeram das suas, passaram a juventude refestelando-se nos campos enlameados de Vermont e nas planícies salgadas de Nevada, pelados, com exceção de pinturas de arco-íris no rosto e uma grossa camada de suor, as cabeças emolduradas com vinte quilogramas de *dreadlocks* fedidos, repletos de piolhos, fingindo encontrar iluminação... NÃO quer dizer que tenho de cometer o mesmo erro.

Desculpe, Satã, mais uma vez disse a palavra com D.

Sem diminuir o passo, Leonard assente e aponta para indicar as antigas entidades de culturas hoje mortas, estocadas no submundo. Entre elas, Benoth, deus dos babilônios; Dagon, ídolo dos filisteus; Astarte, deusa dos sidônios; Tartak, deus dos heveus.

Minha suspeita é de que meus pais valorizam as sórdidas lembranças de episódios de Woodstock e Burning Man não porque esses passatempos levaram à sabedoria, mas porque foi a era inesquecível de um período na vida deles, quando eram jovens e não tinham o peso das obrigações; tinham tempo livre, músculos tonificados, e o futuro ainda parecia uma aventura grandiosa. Além do mais, tanto minha mãe quanto meu pai estavam livres do status social e, portanto, não tinham nada a perder em saracotear pelados por aí, com os genitais inchados lambuzados de lama.

Portanto, por terem consumido drogas e flertado de perto com danos cerebrais permanentes, insistiam em que eu deveria fazer o mesmo. Eu estava sempre abrindo a lancheira na escola para encontrar um sanduíche de queijo, um suco de maçã em caixinha, palitos de cenoura e quinhentos miligramas de Percocet. Nas meias de Natal – não que celebrássemos essa data – havia três laranjas, um ratinho de açúcar, uma gaita e quaaludes.[4] No meu cesto de Páscoa – não que chamássemos esse evento de Páscoa –, em vez de jujubas, encontrava buchas de haxixe. Quem dera pudesse esquecer a cena da festa do meu décimo segundo aniversário, quando acertei uma *piñata* brandindo um cabo de vassoura perante meus colegas e os respectivos pais – antigos hippies, antigos rasta, antigos anarquistas. No momento em que o papel machê colorido explodiu, em vez de balas ou pirulitos, todo o mundo recebeu uma chuva de Vicodins, Darvons, Percodans, ampolas de nitrato de amilo, figurinhas de LSD e barbitúricos variados. Os agora saudáveis pais de meia-idade ficaram em êxtase, enquanto meus amiguinhos e eu não podíamos deixar de nos sentir meio que passados para trás.

Além disso, não é preciso ser neurocirurgião para entender que pouquíssimos moleques de doze anos gostariam de ir a uma festa onde usar roupas fosse opcional.

Algumas das imagens mais horrendas no Inferno parecem totalmente risíveis se comparadas à visão de uma geração inteira de adultos nus, lutando no chão, bufando e ofegando numa competição frenética por um punhado disperso de cápsulas de codeína.

---

4. Medicamento utilizado para o tratamento de ansiedade ou para promover o sono. (N. do T.).

Essas eram as mesmas pessoas que se preocupavam com que eu pudesse crescer e me tornar uma Senhorita Ninfomaníaca.

Agora Archer, Leonard e eu caminhamos atrás de Babette e Patterson, passando por uma rota em zigue-zague ao longo de elevações de pedaços de unhas do pé e da mão, entre colinas cinzentas descamadas, cobertas com cada pedaço de unha crescido e nunca cortado. Alguns fragmentos de unha são pintados de rosa, vermelho ou azul. Enquanto trilhamos os estreitos cânions, despencam finos regatos de unhas – unhas cadentes que ameaçam se tornar avalanches completas, com potencial para nos enterrar vivos (vivos?) nos montes de queratina pinicante. À frente, ergue-se o céu alaranjado flamejante, e, abaixo, ramificando-se em cânions menores ao longe, vislumbramos comunidades de celas onde colegas de almas condenadas sentam-se em desolação asquerosa e permanente.

Conforme vagamos, Leonard continua a recitar os nomes dos demônios que podemos encontrar: Mevet, demônio judaico da morte; Lilith, que rouba crianças; Reshev, demônio da praga; Azazel, demônio dos desertos; Astaroth... Robert Mapplethorpe[5]... Lúcifer... Beemonte...

À frente, Patterson e Babette sobem um morro suave, chegando a uma altura que bloqueia a visão além. No topo, os dois param. Mesmo de trás, podemos ver que o corpo de Babette enrijece. Em reação ao que ela agora vê ao longe, as duas mãos se levantam para cobrir seu rosto, os dedos fechados sobre os olhos. Babette se inclina levemente, apertando as mãos contra as coxas,

---

5. Fotógrafo norte-americano que se define pelo grande rigor em todos os aspectos da sua obra, criativos ou técnicos. (N. do T.).

e dá as costas àquela vista, esticando o pescoço como se estivesse prestes a vomitar. Patterson se volta para nos olhar, fazendo sinal com a cabeça para que nos aproximemos, para que testemunhemos alguma nova atrocidade próxima a esse novo horizonte.

Archer, Leonard e eu damos uma corridinha, subindo no morro de pedaços de unha, que são macias sob cada passo difícil, como neve ou areia fofa, escalando-o até pararmos ao lado de Patterson e Babette à beira de um penhasco. A meio passo de nós, a terra desce, e além de nós fervilha um mar de insetos que se estende na paisagem: besouros, centopeias, saúvas, lacraias, vespas, aranhas, larvas, gafanhotos e tudo mais, revirando-se de modo constante, uma areia movediça em ondulações suaves, composta de pinças, antenas, pernas segmentadas, ferrões, conchas e dentes, de tom escuro brilhante, em grande parte negro, com pinceladas de amarelo vivo e verde-claro dos gafanhotos. Os estalos e o farfalhar constante geram um ruído não muito diferente do de ondas que se quebram nos oceanos salgados da Terra.

– Bacana, hein? – diz Patterson, acenando com o capacete de futebol numa das mãos, como se para dirigir nossa atenção ao brejo fervilhante de horrores ondulantes. – Vejam só, o Mar de Insetos.

Olhando para baixo, em direção à maré crescente de insetos, Leonard solta um gemido de orgulho enojado ao dizer:

– Aranhas não são insetos.

Não quero insistir nesse assunto, mas produtos de luxo pirateados representam mesmo uma economia falsa. Como prova, as sandálias plásticas de Babette parecem prestes a se despedaçar, as alças partidas e as solas soltas batendo – sujeitando seus pezinhos delicados a irritação por pedaços de unha e cacos de vidro –, enquanto as minhas vigorosas alpargatas Bass Weejun mal parecem danificadas pela longa caminhada no submundo.

Enquanto ouvimos o interminável zumbido e observamos o pudim contorcionista de vida insetívora, de trás um grito chega até nós. Lá, correndo pelos morros de pedaços de unha, ofegando, vem uma figura barbuda vestida numa toga de senador romano. Virando o pescoço para olhar por sobre os ombros, o homem avança até nós gritando a palavra *Psezpolnica*. Gritando:

– Psezpolnica!

A um canto do penhasco, perto de onde estamos, o lunático de toga aponta um dedo trêmulo na direção de onde veio. Suplicando com olhos esbugalhados, grita "Psezpolnica!" de novo e mergulha, debatendo-se, para desaparecer sob a superfície fervilhante daqueles bichos. Uma vez, duas vezes, três vezes o homem de toga emerge, buscando ar; está sem ar pelo excesso de besouros na boca. Grilos e aranhas picam e lhe arrancam a pele dos braços, que se debatem. Lacraias se amontoam, entrando e comendo seus olhos, e centopeias serpenteiam por buracos ensanguentados abertos entre as costelas, agora à mostra.

Enquanto observamos, horrorizados, perguntando-nos o que poderia levar alguém a uma ação tão extrema... Babette, Patterson, Leonard, Archer e eu... nos viramos e avistamos uma figura pesada e enorme se aproximando.

VIII

Está aí, Satã? Sou eu, Madison. Você pode achar divertido o fato de termos sido surpreendidos por um demônio de tamanho considerável. Isso gerou o mais impressionante ato de heroísmo e sacrifício – sério, da pessoa menos provável entre nossa turma. Além disso, incluí mais do meu histórico, caso esteja interessado em saber um pouco mais a respeito dessa pessoa fascinante, multifacetada e com sobrepeso que eu sou.

Enquanto o pequeno grupo está parado no penhasco que dá para o Mar de Insetos, uma figura imensa caminha pesadamente em nossa direção. Cada um dos tempestuosos passos faz tremer os morros próximos, trazendo cascatas empoeiradas de antigos pedaços de unha de mãos e pés, e a figura é tão alta que podemos identificar apenas sua silhueta contra o alaranjado céu flamejante. O peso do gigante faz o solo tremer com tanta violência que o penhasco onde estamos sobe e despenca abaixo de nós, os pedaços soltos de unha ameaçando ceder e nos lançar aos agitados insetos devoradores.

É Leonard quem fala primeiro, apenas sussurrando a palavra "Psezpolnica".

Em nosso sofrimento imediato, Babette parece estar distraída demais; a má qualidade dos grosseiros acessórios de moda é uma metáfora – impossível de ignorar – da escolha pelo superficial em detrimento de qualidade interior. Patterson, o atleta, parece paralisado em sua atitude convencional, alguém para quem as regras do universo foram fixadas previamente e sempre permanecerão imutáveis. Em contraste, o rebelde Archer é a própria rejeição automática de... tudo. Dos novos companheiros, Leonard é o que se mostra mais promissor em evoluir para algo mais do que um conhecido. E, sim, mais uma vez percebo que *promissor* é um sintoma da tendência irritante e profundamente arraigada em ter esperança.

Levada por essa esperança manifesta em meu instinto de preservação, quando Patterson lentamente enfia o capacete de futebol americano na cabeça e diz "corram", minhas pernas gorduchas não hesitam. Enquanto Archer, Babette e Patterson correm cada um para um lado, corro ao lado de Leonard.

– Psezpolnica – ele diz, ofegante, as pernas deslizando contra as camadas suaves e maleáveis de unhas, os braços dobrados se debatendo no ar para manter o pique.

Leonard prossegue:

– Os sérvios a chamam de "a mulher-tornado do meio-dia". – Buscando fôlego, correndo ao meu lado, o bolso da camisa cheio de canetas batendo contra o peito magrelo, ele explica: – Sua especialidade é levar as pessoas à loucura. Ela arranca a cabeça e tira membro a membro...

Num vislumbre, vejo a mulher tão alta quanto um tornado, seu rosto tão distante que parece pequeno contra o céu, tão acima de mim quanto o sol da tarde. Como a nuvem de fumaça que sai da chaminé, o longo cabelo preto balança para longe da cabeça, e ela hesita como se decidisse qual de nós deve perseguir.

Do outro lado da gigante, Babette cambaleia; ambas as sandálias cafonas, ultravulgares, mal se equilibrando sob seus pés, fazendo-a mancar e tropeçar. Patterson arqueia os ombros, esquivando-se e correndo em zigue-zague, as chapinhas dos sapatos alvoroçando a pilha de pedaços de unha como se corresse numa partida através da linha de defesa, em direção ao *touchdown*. Archer tira a jaqueta de couro e a joga de lado, avançando a toda velocidade, as correntes presas na bota tilintando.

O demônio-tornado se abaixa, buscando algo com uma mão, os dedos abertos como um paraquedas, inclinando-se decididamente em direção à figura cambaleante e histérica de Babette.

Admito que há um certo elemento lúdico em todo esse pânico; tendo testemunhado o demônio Ahriman pegar e consumir Patterson, e Patterson em seguida se regenerar em um jogador de futebol americano ruivo de olhos cinza, de certo modo sei que minha morte completa não é mais possível. Dito isso, o processo de ser despedaçada e devorada ainda me parece inacreditavelmente dolorido.

Enquanto o demônio-tornado se estica para pegar uma Babette que não para mais de gritar, Leonard berra para que ela mergulhe. Colocando as duas mãos em concha ao redor da boca, Leonard instrui:

– Mergulhe e escave!

Para que você possa aprender com minha ignorância: é uma estratégia comprovada, quando se foge de algo perigoso no Inferno, escavar o terreno mais próximo disponível. O Inferno oferece pouca cobertura, não há vegetação nenhuma – só o inexplicável acúmulo de chicletes, balas e pipocas –, portanto a única maneira de você se esconder é cavar um túnel até estar completamente enterrado, neste caso pelo vasto acúmulo de pedaços de unha.

Por mais nojento que possa soar, fica me devendo por esse conselhinho. Não que você vá de fato morrer. Longe disso. Não com as horas e horas que investiu em exercícios aeróbicos.

Por outro lado, se estiver morto e no Inferno, ameaçado pela Psezpolnica, faça como Leonard diz: mergulhe e escave.

Minhas mãos afundam no morro de pedaços de unhas soltas e, a cada centímetro que escavo, um deslizamento constante das mesmas avalanches cai sobre mim, coçando e pinicando – irritante, mas não desprazeroso por completo –, até que me vejo totalmente enterrada, com Leonard a meu lado.

Quanto à minha morte, minha morte-*morte*, eu me lembro de muito pouco. Minha mãe estava lançando um filme e meu pai havia obtido o controle dos lucros de alguma coisa aí – do Brasil, acho eu –, portanto, claro que trouxeram para casa uma criança adotada de... algum lugar horrível pelo mundo. O nome de meu irmão da vez era Goran. Olhos embrutecidos, sempre estreitados, e sobrancelha de taturana, era um órfão originário de algum pequeno vilarejo, antes socialista, destruído pela guerra. Goran estava ávido por aquele primeiro contato físico e educação necessários para um ser humano desenvolver qualquer senso de empatia. Com seu olhar reptiliano e mandíbula larga de pit bull, já se apresentava um produto danificado, mas essa característica só valorizava seu charme. Diferente de quaisquer de meus antigos irmãos, agora distribuídos em vários colégios internos e há muito esquecidos, eu me vi bem impressionada com Goran.

De sua parte, Goran teve apenas de depositar os olhos campesinos, vorazes, sobre a riqueza e o estilo de vida de meus pais, para se determinar a absorver minha aceitação. Acrescente a esses fatores um enorme saco de maconha ofertado por meu pai, além de meu impulso de enfim consumir a erva terrível, apenas para me aproximar de Goran – eis a soma total do que sou capaz de me lembrar a respeito das circunstâncias de minha overdose fatal.

Agora, enterrada como estou em um túmulo de unhas, escuto as batidas do meu coração. Ouço minha respiração saindo das narinas. Sim, sem dúvida, é a esperança que faz meu coração continuar a bater e os pulmões respirarem. Velhos hábitos não morrem com tanta facilidade. Sobre mim, o chão chacoalha e se move a cada passo do demônio-tornado. As unhas pinicam minhas orelhas, abafam qualquer som produzido pelos gritos de Babette. Abafam os estalos do Mar de Insetos. Enquanto meu corpo jaz aqui, conto as batidas do meu coração e resisto ao impulso de esticar a mão em busca da de Leonard.

No próximo instante, meus braços são comprimidos na lateral do meu corpo. Unhas se apertam mais, fecham-se ao redor, e sou levantada no ar ardente de enxofre, subindo ao alaranjado céu flamejante.

Os dedos de uma enorme mão apertam-se em volta de mim, firmes como uma camisa de força. A mão gigante se enfiara no solo e me puxara do mesmo modo que alguém puxa uma cenoura ou um rabanete de seu sepulcro.

Nossa, posso ser uma privilegiada, rica, rebenta solitária de pais famosos, mas ainda sei de onde vêm os bebês e as cenouras... apesar de nunca ter tido certeza sobre a origem de Goran.

Erguida no ar, posso ver tudo: o Mar de Insetos, as Grandes Planícies de Cacos de Vidro, o Grande Oceano de Esperma Desperdiçado, um conjunto infinito de celas com os condenados. Abaixo, estende-se toda a geografia do Inferno, com demônios que vagam para cá e para lá a fim de devorar vítimas miseráveis. No ponto mais alto da minha subida, um cânion de dentes úmidos me aguarda. Uma lufada de hálito fétido me acerta, um odor pior do que o dos toaletes comunitários no Acampamento Ecológico. De lá se ergue uma língua monstruosa revestida de papilas gustativas do tamanho de cogumelos vermelhos. Tudo isso emoldurado por lábios grossos como pneus de trator lamacentos.

A mão me leva à boca, na qual pressiono meus braços contra o lábio superior. Meus pés fazem pressão contra o lábio inferior e, como uma espinha de peixe, mantenho-me larga e rígida demais para ser engolida. Sob minhas mãos, os lábios parecem surpreendentemente macios, como um banco de couro de um bom restaurante, embora nesse caso bem quentinho. É como tocar o forro de um Jaguar de alguém que acabou de dirigir de Paris a Rennes.

O rosto do demônio é tão vasto que tudo o que posso ver é a boca. Na minha visão periférica, fico vagamente ciente dos olhos sobre mim, arregalados e vítreos como vitrines de lojas de departamento, só que virados para fora, esbugalhados – olhos cercados por cílios que são como enormes lanças negras. Tenho consciência de um nariz do tamanho de uma choupana com duas portas abertas, cada uma com uma cortina de pelinhos finos.

A mão me empurra contra os dentes. A língua se projeta e umedece a frente do meu suéter.

No momento em que me conformo com meu destino imediato – ser ruminada e engolida, os ossos jogados de lado como o esqueleto de cada ave de caça que já comi –, a boca solta um grito. O que ouço parece menos um grito e mais uma sirene de ataque aéreo, explodindo direto em meu rosto. Meus cabelos, bochechas e roupas são todos soprados, tremendo como uma bandeira atingida por um furacão.

Um dos meus sapatos escorrega do pé, caindo, chegando ao solo ao lado de uma figura minúscula que tem um moicano azul. Mesmo a essa distância, posso ver que é Archer quem está parado ao lado do pé de tamanho considerável da gigante.

Tendo tirado o alfinete da bochecha, Archer enfia e retira a ponta, repetidas vezes, no dedão do demônio.

Na algazarra que se segue, vejo-me ser derrubada, meio levantada, meio abaixada, até que aterrisso no monte fofo de unhas picantes. No momento do impacto, mãos me seguram, mãos humanas, as mãos de Leonard, e me puxam para o abrigo sob o emaranhado de pedaços de unhas... mas não antes de ver a mesma mão-paraquedas que me pegara agora agarrar Archer e levantá-lo – com ele xingando, chutando com as botas e furando com o alfinete – em direção aos dentes, que se fecham, e numa única mordida guilhotinam a cabeça azul vivo.

IX

Está aí, Satã? Sou eu, Madison. Antes de eu lhe dizer qualquer coisa, você deve jurar de pés juntos que NUNCA vai contar esse segredo para ninguém. Falo sério.
Olhe, sei bem que você é o Príncipe das Mentiras, mas preciso que jure. Vai ter de me garantir confidencialidade se vamos ter um relacionamento profundo e honesto.

Inverno passado, se quer saber, eu me encontrava sozinha no colégio interno durante as férias de Natal. Não é preciso dizer que estou contando um acontecimento da minha vida passada. O Natal para os meus pais era como um dia qualquer, e o resto de meus colegas ia esquiar ou viajava para as ilhas gregas, por isso não restava nada além de fazer cara de cínica e assegurar a cada menina de lá que minha família chegaria a qualquer momento para me buscar. Naquele dia final do semestre de outono, o alojamento se esvaziou. O refeitório foi fechado. Assim como as salas de leitura. Até o corpo docente abandonou o *campus* com suas malas, deixando-me numa solidão quase completa.

Eu digo "quase" porque um vigia noturno, possivelmente um time deles, continuou a rondar pelo terreno da escola, checando as portas fechadas e desligando termostatos, com seus fachos de luz ocasionalmente varrendo a paisagem à noite, como holofotes em um filme antigo de prisão.

Um mês antes, meus pais haviam adotado Goran, aquele dos olhos assombrados e sotaque pesado de Conde Drácula.

Apesar de ser só um ano mais velho que eu, a testa de Goran já estava marcada com rugas. As bochechas eram encovadas. As sobrancelhas cresciam selvagens e embaraçadas como os morros florestais dos Cárpatos, tão espessas e emaranhadas que, se olhasse bem de perto entre os pelos, você esperaria ver matilhas de lobos perambulando, castelos em ruínas e ciganas reclinadas juntando lenha. Mesmo com catorze anos de idade, os olhos de Goran, sua voz grave como uma buzina de nevoeiro, tudo dava a impressão de que ele havia testemunhado toda sua família sendo torturada até a morte como trabalhadores escravos em minas de sal em algum campo remoto, com cães sedentos de sangue farejando atrás deles por campos de gelo, chicotes estalando em suas costas.

Ah... Goran. Nenhum Heathcliff nem Rhett Butler jamais foi tão moreno nem rudimentarmente moldado. Ele parecia existir em seu próprio isolamento permanente, ilhado por alguma terrível história de sofrimento e privação, e eu o invejava por isso. Eu invejava, queria tanto ser torturada.

Ao lado de Goran, até adultos soavam tolos, tagarelas e insignificantes. Até meu pai. Em particular meu pai.

Deitada na cama, sozinha numa residência suíça construída para abrigar trezentas garotas, com uma temperatura que mal evitava que os canos congelassem, imaginei Goran, a forma como as veias azuis se espalhavam sob a pele transparente de suas têmporas. Como seu cabelo crescia tão denso que não dava para domá-lo com o pente, era o tipo de cabelo espetado que você cultiva enquanto estuda filosofia marxista com xicarazinhas de *espresso* amargo em cafeterias cheias de fumaça, esperando a oportunidade perfeita para arremessar uma banana de dinamite acesa no carro aberto de algum arquiduque austríaco para encetar uma guerra mundial.

Minha mãe e meu pai sem dúvida estavam apresentando o pobre Goran para as agências de notícias reunidas, representadas no Park City, Utah; ou em Cannes; ou no Festival de Cinema de Veneza, enquanto eu me escondia sob seis cobertores, sobrevivendo com Fig Newtons e água mineral Vichy *avec gaz* guardados.

Não, não é justo, mas com certeza ficava com a melhor parte do acordo.

Minha família supunha que eu estava num iate, entre amigas risonhas. Minha mãe e meu pai supunham que eu *tinha amigas*. A escola supunha que eu estivesse com meus pais e Goran. Por duas semanas gloriosas, tudo o que eu tinha para fazer era ler as Brontës, desviar de um segurança ou outro e vagar por aí... pelada.

Em todos os meus treze anos de vida, nunca havia dormido pelada. Claro, meus pais desfilavam sem roupas constantemente, expondo-se pela casa e nas praias mais exclusivas da Riviera

Francesa e das Maldivas, mas eu sempre me sentia lisa demais em alguns lugares, rechonchuda demais em outros, magra demais em alguns, simultaneamente desajeitada e grosseira, muito velha e jovem em demasia. Era claramente uma violação das regras de comportamento da escola, mas sozinha naquela noite eu tirei minha camisola e deitei na cama, pelada.

Minha mãe nunca hesitou em sugerir que eu participasse desse ou daquele retiro de fim de semana para focar no autoconhecimento dos meus genitais e aperfeiçoando o controle dos centros de prazer, o grupo costumeiro de mães celebridades e filhas desocupadas numa gruta remota, agachando-se sobre espelhinhos de mão e espantando-se com as infinitas disposições rosadas do colo do útero, mas seu tipo de oficina de... poder da autodescoberta parecia tão clínica! Não era uma oficina franca, honesta, sobre a minha sexualidade o que eu desejava. Era Goran que eu queria, alguém rude e rabugento. Piratas e corpetes apertados. Bandidos mascarados de estrada e mocinhas sequestradas.

Na segunda noite em que dormi pelada, acordei precisando fazer xixi. O banheiro ficava no fim do corredor, dividido entre todas as meninas de cada piso, mas eu estava quase certamente sozinha no prédio da residência. Então, apesar das leis sacrossantas, espiei para fora do meu quarto, pelada e descalça, verificando se havia guardas de vigia no corredor escuro. Corri em passos rápidos até o banheiro e fiz minhas necessidades, com a luz fraca da lua filtrada pelas janelas, meu hálito soltando fumaça no ar frio. Na terceira noite, visitei o banheiro, de novo pelada, mas dando um passeiozinho, pegando um desvio na volta para visitar o *lounge* do primeiro andar, e me sentei sem roupas nos sofás frios de couro que davam para o espelho escuro da tela da televisão. Meu reflexo nu no vidro, pálido como um fantasma gorducho.

Ah, aqueles dias de glória quando eu ainda tinha um reflexo terreno...

Sério, Satã, por favor. Você tem de jurar que não vai dizer nem um pio sobre isso.

Na minha quinta noite sozinha, aventurei-me pelada para o laboratório de química, sentei-me pelada na minha carteira na sala de Línguas Românicas, e fiquei pelada no balcão no centro do refeitório, onde os professores mais velhos em geral se sentavam para fazer as refeições.

E, sim, enquanto admito estar morta e ter uma má imagem corporal e senso reprimido do meu valor pessoal, tenho consciência de que meu arriscado exibicionismo tarde da noite e os anseios por Goran eram sintomas de minha sexualidade que desabrochava.

O ar da noite contra minha pele... toda minha pele e mamilos, e a textura de tantos objetos comuns: carteiras de madeira, carpetes das escadas, corredores de azulejos – sem a intervenção de camadas de seda ou náilon –, tudo parecia glorioso. Em cada canto parecia haver um possível guarda, algum estranho usando um uniforme, com suas botas polidas. Imaginava cada guarda com um distintivo polido, usando uma arma presa a seu cinto. Provavelmente seria o pai suíço de alguém, ou o avô, com um bigode, mas eu imaginava Goran. Goran carregando algemas. Goran, com olhos taciturnos por trás de óculos escuros totalitários. A qualquer momento, um facho de lanterna poderia me revelar, as partes de mim que sempre mantive escondidas. Seria denunciada e expulsa. Todos saberiam.

Nos meus passeios nua, passava tempos entre as pilhas com cheiro de couro da biblioteca, lendo compenetrada os livros conforme caminhava descalça sobre o chão de mármore frio. Nadei pelada no complexo de piscinas. Com apenas a luz da lua para enxergar, espiei a cozinha de aço inox e me sentei de pernas cruzadas no chão de concreto, tomando sorvete de chocolate, até que meu corpo tremesse com a friagem acumulada. Tão ágil como um animal... um espírito... uma selvagem... corri para dentro da capela e apresentei minha carne ao altar. Lá, as pinturas e imagens da Virgem Maria estavam sempre vestidas tão pesadamente, com véus, coroa e carregadas de joias. Retratos de Cristo raramente traziam mais do que uma coroa de espinhos e uma tanguinha minúscula. Sentada no banco da frente, sentia a pressão suave de minhas coxas nuas contra a madeira polida.

Na minha segunda semana sozinha, dormi durante o dia e vaguei *sans apparel* de noite. Havia estado pelada em quase todos os cômodos, passeado por todos os corredores e túneis de ventilação, atravessado cada porta destrancada; entretanto, ainda tinha de me aventurar lá fora. Além das janelas, a neve caía, cobrindo tudo e desviando a luz da lua para dentro. Agora, os próprios prédios pareciam roupa demais para mim. Naquele ponto, dormia pelada. Caminhava e comia e lia pelada com tanta frequência que a empolgação havia evaporado.

Mesmo lendo *Forever Amber* com minhas tetas de fora... havia perdido aquela sensação especial do proibido. A única forma de renová-lo seria sair por aí e ficar sem roupas sob as estrelas ou coberta pelos flocos de neve que caíam, deixando minhas pegadas nuas ao vento.

As outras meninas que eu conheço roubavam em lojas para gerar esse mesmo barato pré-púbere. Outras meninas contavam mentiras ou se cortavam com navalhas.

Não, não é justo, mas num minuto você pode estar vagando pela neve clara, com os pés afundando até o tornozelo na desolação perfeita da queda de neve que cerca uma escola particular para meninas perto de Locarno, e, poucos dias depois, pode estar se arrastando por brejos de incontáveis pedaços de unhas, lançadas para sempre ao Inferno em chamas.

Naquelas férias de Natal que passei sozinha, quando saí do alojamento, entrando na noite nevada, minha pele sentiu cada toque dos flocos de neve. O ar frio fez meu cabelo ficar arrepiado nas raízes da mesma forma que meus mamilos ficaram eretos, cada folículo nos meus braços e pernas tornando-se um clitóris minúsculo, e cada uma de minhas células ficando despertas e alertas, numa atenção rígida. Caminhando, estendi os braços à frente, imitando a forma como antigas múmias egípcias caminham quando saem dos túmulos de pedra em velhos filmes de terror. Minhas mãos se viraram com as palmas para baixo, meus dedos penduraram-se da forma como o monstro de Frankenstein balança quando é trazido à vida naqueles velhos filmes preto e branco da Universal. Essa era minha desculpa: estava sonâmbula. Minha defesa parassônica. Então caminhei, passo a passo, mais distante na neve que caía na escuridão fria como sorvete de chocolate, meus braços estendidos como os de uma personagem sonâmbula de desenhos animados, só que pelada. Coberta com cristais de gelo e fingindo estar dormindo, porém mais acordada do que jamais me sentira. Cada pelo e cada célula em mim estavam alertas, ardendo, com medo. Vivos.

Senti em mim toda a emoção de ser tocada no mesmo instante. Como você pode ver, queria ser descoberta. Desejava ser vista no alto do meu poder pré-púbere, com os seios de fora, bunda à mostra, o poder de Lolita de um pornô infantil ilegal.

Se um guarda me encontrasse, apenas fingiria estar envergonhada. Naquele momento eu já tinha um longo histórico de me sentir com medo e embaraçada. Reverter para aqueles sentimentos seria como uma segunda natureza. Se um guarda se aproximasse e pegasse meu pulso, ou jogasse um cobertor nos meus ombros para proteger meu recato infantil, simplesmente ficaria histérica e insistiria que não tinha ideia de onde estava ou como havia chegado ali. Rejeitaria todas as responsabilidades por minhas ações... bancaria a vítima inocente. Nas duas últimas semanas de solidão, algo em mim havia mudado, mas ainda podia simular estar chocada, frágil e recatada.

Não, não foi assim que acabei morrendo. Como mencionei antes, morri por overdose de maconha. Não congelei até a morte.

Nem um segurança tarado me pegou. Droga.

De braços estendidos como uma sonâmbula, marchei pelo pátio da escola, juntando flocos de neve no meu cabelo até que meus pés ficaram bem anestesiados. Então, com medo de congelar de verdade e ficar permanentemente desfigurada, corri de volta para o alojamento. Quando agarrei a maçaneta de aço com as mãos úmidas, meus dedos e a palma da mão se congelaram no metal. Puxei, mas a porta havia automaticamente se trancado no momento em que bateu, me deixando pelada, com a mão grudada – congelada – na maçaneta de uma porta que não abria, incapaz de correr ou pedir ajuda, sem poder voltar para minha cama em segurança, com a noite mortífera caindo sobre mim, cristal a cristal de gelo.

E, sim, eu posso ser uma garota sonhadora, romântica e pré-adolescente, mas sei reconhecer uma metáfora quando ela me acerta em cheio: uma jovem florescente congelada no limiar entre a infância segura e a fria desolação da maturação sexual iminente – apenas uma camada sacrificial da tenra e virginal pele mantendo-a prisioneira, blá-blá-blá...

E, não, os filhos de famílias ricas, presos em colégios internos suíços, não são nada além de ardilosos. Era de conhecimento comum entre meus pares e eu mesma que uma estudante sabichona alguns anos antes havia roubado uma chave do alojamento, uma chave mestra, e escondera a tal chave embaixo de uma pedra específica perto da porta principal do corredor. Quando uma senhorita libertina dona Periguete dava uma escapada para um encontro clandestino ou para fumar um cigarro e acabava trancada lá fora, ao invés de encarar as reprimendas ela apenas tinha de usar essa chave reservada para essas emergências pecaminosas e posteriormente devolvida a seu esconderijo. Por mais conveniente que fosse essa chave, embaixo de uma pedra a poucos passos, com minhas mãos congeladas na maçaneta da porta, eu não tinha jeito de alcançá-la.

Minha mãe diria a você: "Esse é um daqueles momentos *Hamlet*". Traduzindo: você precisa fazer um esforço significativo para determinar se deve ser ou não ser.

Se gritasse e berrasse até que um vigia chegasse, eu ficaria envergonhada, humilhada, mas viva. E, se congelasse até a morte, salvaria minha dignidade, mas estaria... bem, morta. Provavelmente eu seria uma figura de *pathos* e mistério para gerações futuras de meninas nessa escola. Meu legado seria um severo novo grupo de regras para contabilizar para cada menina. Meu legado seria uma história de fantasmas que as meninas da minha idade contariam para assustar umas às outras depois que as luzes se apagassem. Talvez eu ficasse como um espírito pelado que elas veriam rapidamente em espelhos, do lado de fora de janelas, no fim de corredores iluminados pela luz da lua. Essas futuras marotas privilegiadas iriam chamar meu fantasma repetindo: "Maddy Spencer... Maddy Spencer..." três vezes enquanto se olhassem no espelho.

Mais uma vez, é uma forma de poder, apesar de um poder bem impotente.

E, sim, conheço a palavra *dissociação*.

Por mais que gostasse daquela imortalidade gótica assustadora, comecei a gritar pelo guarda. Gritei:

– Socorro! *Au secours! Bitte, helfen Sie mir!*

A neve que caía abafava cada som, umedecendo a acústica de todo o mundo da meia-noite, bloqueando cada eco que pudesse carregar minha voz mais longe no escuro.

Nesse momento minhas mãos eram as mãos de um estranho. Podia ver meus pés nus, azuis, mas eles pertenciam a outra pessoa. Azuis como as veias de Goran. Pelo vidro da porta, eu podia ver meu próprio rosto refletido, minha imagem emoldurada pelo gelo do meu hálito condensado e congelado na janelinha. Sim, todos parecemos de certa maneira absurdos e misteriosos uns para os outros, mas essa menina que eu vi não era ninguém para mim. A dor dela não era a minha dor. Eis aqui o rosto morto de Catherine Earnshaw, assombrando as janelas invernosas do Morro dos Ventos Uivantes, blá-blá-blá.

Aquilo me fragilizou. Refletida na luz da lua e da rua, eu a vi puxando os dedos da maçaneta de aço, sua pele descascando, ainda presa ao metal, deixando as linhas e marcas de palmas como estampas de gelo. Abandonando o mapa enrugado de sua linha da vida, a linha do amor e do coração, vi essa menina estranha, o rosto amargo e resoluto, caminhar em pernas duras congeladas para buscar a chave e salvar minha vida. Aquela menina que eu não conhecia; ela abriu a porta pesada, as mãos grudando novamente, arrancando outra camada da pele frágil dessa estranha. Suas mãos tão congeladas, que não sangravam. A chave de metal congelou-se entre seus dedos tão resolutamente que ela foi forçada a levá-la para a cama.

Só na cama, sufocada entre cobertores, deixando-se levar pelo sono, a pele se aqueceu e as mãos da menina começaram a sangrar em silêncio nos lençóis limpos, alvos e engomados.

X

Está aí, Satã? Sou eu, Madison. Por favor, NÃO fique com a impressão de que sou uma Sirigaita da Silva. É verdade que li o Kama Sutra, mas por que alguém se preocuparia em tentar fazer um contorcionismo tão revoltante continua sendo um mistério para mim. Em relação a sexo, minha compreensão é meio que completamente intelectual, sem nenhuma apreciação estética real. Perdoe meu gosto não requintado. Ainda que saiba quais órgãos estimulem o quê, o bizarro e sórdido negócio da interação do falo com o orifício, a troca de cromossomos necessária para a procriação das espécies – ainda tenho de entender a graça disso tudo. Traduzindo: eca!

Não foi nenhum acidente eu passar de uma cena em que meu grupo foi confrontado por uma gigante nua imensa para um *flashback* no qual eu mesma estava pelada e explorando tanto o ambiente interno quanto externo, sem as costumeiras camadas protetoras de roupas ou de vergonha. Diante da enorme figura exposta de Psezpolnica, senti sem dúvida uma afinidade, talvez uma admiração por qualquer mulher que possa se apresentar com essa aparente falta de autoconsciência, parecendo completamente indiferente a como poderá ser julgada ou explorada pela plateia. Tendo me fantasiado de Simone de Beauvoir num Halloween, acho que sempre serei um pouco Beauvoir.

A sátira de Jonathan Swift permanece um componente básico de língua inglesa na educação primária – incluindo a minha própria –, mas é em geral limitada ao primeiro volume de *Viagens de Gulliver*; ou, em salas de aula muito ousadas e progressistas, estritamente como exemplo ilustrativo de ironia, os alunos também podem ler o ensaio clássico de Swift: "Uma proposta modesta". Poucos professores arriscariam introduzir o segundo volume de memórias de Lemuel Gulliver, suas desventuras na ilha de Brobdingnag, onde gigantes o capturam e o tornam um animalzinho de estimação. Não, é muito mais seguro apresentar às crianças – aqueles pequenos sem força, diminutos – uma narrativa na qual o gigante é feito prisioneiro e manipulado sob o controle de seres minúsculos cujo único motivo para não o matarem é o medo de que seu corpo colossal possa se decompor e ameaçar a saúde pública.

Permanece desconhecido para a maioria das crianças que no reino de Brobdingnag, no segundo volume, a picaresca narração de Swift fica um pouco espalhafatosa e incerta.

Esses são os louros que se ganha quando você se importa em fazer leitura suplementar para ter uns pontinhos a mais. Em particular quando se passa as férias de Natal pelada, sozinha num alojamento vazio. No segundo volume da obra-prima de Swift, quando os gigantes que residem em Brobdingnag capturam Gulliver, ele é apresentado à corte real e se torna uma espécie de mascote, sendo forçado a viver nas dependências da rainha, em proximidade íntima entre as gigantescas damas de companhia. São essas damas que têm prazer em remover as roupas e se deitar juntas, dividindo a cama, enquanto o herói é levado a viajar por picos e vales do corpo peladão delas. Escrevendo no disfarce de narrador, Swift descreve essas mulheres – as mais adoráveis aristocratas da sociedade, que parecem tão encantadoras e atraentes à distância – como de fato constituindo-se de um malcheiroso Geena pantanoso de pertinho, em contato físico. Nosso minúsculo herói vaga pela pele esponjosa e úmida delas, encontrando monstruosos tufos de pelos púbicos, manchas inflamadas, vastas cicatrizes cavernosas, buracos, rugas profundas, vastidões de pele morta escamando e poças rasas de perspiração fétida.

E, sim, é bom notar que tal cenário retratado por Swift traz semelhança marcante com o atual terreno do Inferno. Essa paisagem de nobres mulheres deitadas no langor da tarde, esperando, na verdade exigindo, que esse homem minúsculo possa lhes trazer prazer. Enquanto isso, ele vaga e cambaleia em descrença e completo asco. Oprimido pela doença e pelo horror, exausto, o escravo Gulliver é forçado a trabalhar até que as mulheres gigantes estejam satisfeitas. Em toda a literatura inglesa, poucas passagens podem se comparar a essa de Swift em aspereza descritiva e indesejável crueza masculina.

Minha mãe diria a você que homens – meninos, rapazes, todos os homens em geral – são burros demais, fáceis de desmascarar e muito preguiçosos para terem sucesso como mentirosos de talento.

Sim, posso estar morta, ser bem dominadora e ter opiniões determinadas, mas conheço a alfinetada fétida de misoginia quando sinto o cheiro. E é bem provável que Jonathan Swift tenha sido vítima de abuso sexual na infância, e depois então expôs a raiva no veículo passivo-agressivo de ficção fantástica.

À própria maneira confusa, meu pai diria: "Uma mulher come demais quando quer alimentar a xoxota". Traduzindo: tudo o que fazemos em excesso é compensação pela ausência de mínima gratificação sexual.

Minha mãe diria que homens exageram no álcool porque os pênis deles têm sede.

Sério, ser cria de pais outrora hippies, outrora rasta, outrora punks, outrora anarquistas significa um bombardeio incessante de truísmos materiais.

E não, nunca tive um orgasmo, mas li *As pontes de Madison* e *A cor púrpura*, e, se aprendi alguma coisa de Alice Walker, foi que se você pode ajudar uma mulher a descobrir o poder curativo de manipular o próprio clitóris ela servirá você como fiel devota e melhor amiga para sempre.

Dito isso, fico diante do demônio sérvio, o imenso tornado feminino nu conhecido como Psezpolnica.

Primeiro, chuto para fora meu sapatinho que restou e o coloco a uma distância segura da gigante. Tiro o cardigã da escola, dobro e o coloco arrumadinho sobre o sapato. Desabotoando as mangas da blusa, enrolo-as até o cotovelo, enquanto examino a altura das enormes pernas peludas. Olhando para cima, vejo canelas, joelhos, coxas musculosas nuas, e viro o pescoço para ver o monte pubiano acima.

Um assovio agudo atravessa o ar, tão alto como uma sirene de bombeiro. No chão, perto dos meus pés, a cabeça arrancada de Archer me olha, os lábios ainda cerrados.

– Ei, garotinha – a cabeça degolada fala –, o que quer que esteja planejando fazer, não faça...

Abaixando-me, agarro Archer pelos longos cabelos azuis de moicano. Carregando a cabeça como se fosse uma bolsa, subo no arco do pé da gigante.

Pendurado na minha mão, Archer diz:

– Ser comido dói como o diabo. Não vai querer passar por isso...

Transferindo o cabelo azul para meus dentes, mordo-o, agarrando o moicano como um pirata faria com uma faca enquanto escalasse o cordame de um navio. Dessa maneira, escalo os pelos copiosos da perna do demônio gigante Pszpolnica, escalando a parte polpuda da canela. Como Gulliver, navego pela pele enrugada dos joelhos do demônio, depois continuo agarrando o pelo áspero, alçando-me cada vez mais alto pelas coxas do demônio acima. Olhando o solo distante, avisto Babette, Patterson e Leonard, as cabeças todas voltadas para cima, mirando, boquiabertos, minha escalada. Olhando ao redor, do alto posso ver o brilho madrepérola do oceano de esperma, o vapor emanando do Lago de Saliva Quente, a perene nuvem escura de morcegos que pairam sobre o Rio de Sangue.

Balançando, ainda presa pelo cabelo azul entre meus dentes cerrados, a cabeça de Archer comenta:

– Você é louca, garotinha, sabia disso?

Ainda subindo, abro caminho pelas dobras dos lábios vaginais, arrastando-me para cima, como no pior pesadelo de Jonathan

Swift, através de bosques pungentes de densos pelos púbicos encaracolados.

Acima de mim se pendura a flagrante cornija de dois seios enormes. Entres eles, posso discernir um queixo; acima dele, um par de lábios mastigando e uma perna dos jeans de Archer, ainda calçada com uma bota de motociclista, pendurada no canto da boca da gigante.

Mesmo com meu conhecimento altamente teórico, baseado em anos de testemunho de amigos pelados da família em praias francesas, sei me virar na genitália de uma mulher adulta. Presa entre os pelos fartos, localizo o capuz clitoridiano e habilmente manipulo a pele que o encobre, empurrando meu braço para encontrar o órgão retraído do lendário prazer feminino. Nessa escala, apenas auxiliada pelo tato às cegas dentro da caverna quente do capuz clitoridiano, percebo que ele é mais ou menos do tamanho de um presunto de Virginia, e do mesmo formato.

A cabeça degolada de Archer observa minha ação. Umedecendo os lábios, Archer diz:

– Garotinha, você é *doente*. – Sorrindo, completa: – Essa puta monstra aí me comeu. É, o mínimo que eu podia fazer era retribuir o favor.

Tirando o braço das profundezas quentes do capuz carnudo, tiro o novelo de cabelo azul da boca. Segurando a cabeça de modo que possa encarar os olhos verdes de Archer, instruo:

– Respire fundo e se faça útil. – Em seguida, enfio a cabeça sorridente e salivante nas profundezas encobertas.

Por um tempinho, não acontece muita coisa. Acima de mim, a vasta boca continua a ruminar o corpo de Archer, os jeans e as botas. Lá embaixo, o trio constituído por Babette, Patterson e Leonard observa de queixo caído. Algo estremece, geme e suga como uma fera raivosa, movendo a pele do capuz clitoridiano. Então, gradualmente, os lábios da gigante param de mastigar. A respiração fica mais profunda e lenta. Um brilho rosado expande-se pelos acres de pele, uma enorme paisagem de rubor lhe cobre o rosto, o peito e as coxas.

Um tremor, como um terremoto, sacode o corpo imenso, e sou obrigada a agarrar os pelos púbicos com mais força para não mergulhar no campo de unhas lá de baixo.

Piratas e bandidos de estrada mascarados e mocinhas sequestradas.

Os joelhos da gigante passam a tremer, a fraquejar e a ceder um pouco. Os lábios ficam mais pronunciados e ganham uma cor forte, encharcados que estão de fluxo sanguíneo. Nesse ponto, busco no capuz carnudo, onde o clitóris endurecido ameaça ejetá-lo, Archer, todo lambuzado, preso e sugando. Agarro a cabeça escondida e a puxo para fora.

No ar aberto, lambuzado dos sucos de paixão feminina e babando feito louco, Archer respira fundo. Os olhos estão dilatados e cheios de prazer; ele grita. Com os lábios cobertos do nocivo fluido inerente aos atos sexuais adultos, Archer berra:

– Sou o Rei Lagarto!...

Com isso, enfio a cabeça de volta para travar a batalha oral oculta com o tecido clitoridiano ingurgitado.

A gigante olha para baixo, em minha direção, os olhos embaçados de êxtase orgástico. A cabeça balança, frouxa, no pescoço. Os mamilos se projetam, no tamanho e consistência de hidrantes de incêndio, e da mesma cor: vermelho brilhante.

Na perna dos jeans que permanece pendurada entre os lábios de Psezpolnica, a perna amputada de Archer, claramente delineada dentro dos jeans, aparece a considerável protuberância de uma ereção masculina.

Olhando para cima, o sorriso frouxo da gigante encontra o meu próprio sorriso de competência. Com a mão agarrando os pelos púbicos para manter a posição, minha outra mão segura a cabeça de Archer dentro dos confins do pegajoso capuz clitoridiano. É com essa mão que arrisco acenar num gesto amistoso, enquanto grito:

– Olá, meu nome é Madison. Agora que nos conhecemos... você se importaria em me fazer um favorzinho de nada?

É nesse momento que o capuz se retrai, o clitóris totalmente ereto aparece, projetando-se em liberdade, ejetando os avanços famintos de Archer com tanta rapidez que sua cabeça gosmenta e delirante voa, passando como um vívido cometa azul por uma correnteza de gosma de mucosa vaginal, caindo, despencando, acertando a terra com um som abafado entre as unhas soltas lá embaixo.

XI

Está aí, Satã? Sou eu, Madison. Não considere o que tenho a dizer como bronca. Por favor, tome o que estou prestes a falar como um retorno estritamente construtivo. Pelo lado positivo, você tem cuidado de um dos maiores e mais bem-sucedidos empreendimentos da história da... bem, da história. Conseguiu fazer crescer sua fatia de mercado apesar da competição opressora de um competidor direto e onipotente. Você é sinônimo de tormento e sofrimento. Mesmo assim, se puder ser bem honesta, seu nível de serviço ao consumidor é mesmo um saco.

Minha mãe diria: "Você pode confiar na Madison para lhe dizer tudo sobre ela mesma – exceto a verdade". Traduzindo: não espere que eu instantaneamente desmonte e o deixe sufocado de revelações profundas sobre mim mesma. Vá em frente e registre isso como alguma vergonha profunda e secreta da minha parte, mas não é o caso. Posso não ter ido além do sétimo ano, ser insuportavelmente ingênua e carecer de uma sólida experiência de trabalho, mas não estou tão desesperada por atenção a ponto de me sentir compelida a dividir meu eu interior mais íntimo, blá-blá-blá.

Tudo o que você precisa saber é que já vi além do véu. Estou morta e, minha própria experiência de vida assumidamente limitada, faz apostar que as melhores pessoas estão. Mortas, quero dizer. Apesar de não ter certeza de se qualquer coisa desde a minha overdose conta como "experiência de vida".

Estou morta, e andando na palma fechada de uma mulher-demônio gigante enquanto ela cavalga pela paisagem infernal, que queima por quilômetros. Na minha companhia estão meus novos compatriotas: Leonard, Patterson, Archer e Babette. O cérebro, os músculos, o rebelde e a rainha do baile.

Ergonomicamente falando, viajar aninhada entre mãos enormes é megaconfortável, combinando o contorno dos assentos primeira classe do Singapore Air com a suave sensação de um quarto com cama no Expresso do Oriente. Dessa altura, comparável ao nível do topo da Torre Eiffel ou da London Eye (Roda do Milênio), passamos por vários marcos da paisagem. E não são poucos os números de celebridades condenadas da lista.

O jogador de futebol, Patterson, aponta os locais mais importantes: as Montanhas Fumegantes de Caca de Cachorro... o Pântano de Transpiração Rançosa... um prado que poderia ser de urze, mas é na verdade um enorme crescimento de micoses de pé.

Seguindo ao lado, Leonard explica que Pszezpolnica tem exatamente trezentos cúbitos de altura. Nossa anfitriã assassina e utilitário esportivo é cria de anjos que desceram do Céu e ficaram loucamente excitados por mulheres mortais. Toda essa história, Leonard diz, vem de uma fonte chamada São Tomás de Aquino, que escreveu no século XIII que esses anjos apareciam na Terra como íncubos – seres divinos vitaminados e superexcitados. Os anjos faziam a Coisa Feia com mulheres mortais, e gigantes como Psezpolnica eram concebidos. Os próprios anjos excitados eram mandados ao Inferno para se tornarem demônios. Antes que você questione a merda toda desse procedimento, São Tomás de Aquino não pode ser encontrado em nenhum lugar do Hades, portanto ele deve ter entendido alguma coisa certo.

Da mesma forma, quando homens da Terra se interessavam por anjos nas cidades de Sodoma e Gomorra, Leonard conta, Deus deu a eles um belo castigo. O tratamento completo de pilar de sal.

Não, não é justo, mas parece que o único imortal que pode se permitir galanteios com mortais é o próprio Deus.

Desculpe por continuar usando a palavra com D. Acho que antigos hábitos custam a morrer.

– Continue   Patterson diz. Ele bate na nuca de Leonard, acrescentando: – Seu herege da porra!

– Que linguagem – comenta Babette. – Por que você não apenas caga nos meus ouvidos?!

Seguindo em frente, Archer acena para alguns demônios. Gritando para um loiro enorme com chifres de cervo saindo da cabeça, Archer diz:

– Ei, Cernunnos, meu jovem!

Cochichando para mim, Leonard explica que esse é o deus celta dos veados que foi destronado. Ele diz que nosso diabo cristão é retratado com chifre como uma maliciosa referência a Cernunnos.

Archer faz um sinal de joinha para outro demônio, esse à meia distância, um cara com cabeça de leão comendo sem parar um advogado morto. Archer coloca uma mão na boca e grita:

– E aí, Mastema?

– O príncipe dos espíritos – Leonard cochicha para mim.

O tempo todo, Babette continua perguntando: "Que horas são?", "Ainda é quinta-feira?". Sentada num lado da enorme palma, os braços dobrados sobre o peito, impacientemente batendo na ponta de um dos Manolo Blahnik sujos, Babette diz:

– Não consigo acreditar que não se acha wi-fi no Inferno...

Nossa embarcação, nossa anfitriã, Psezpolnica segue em frente, os traços ainda iluminados por um sorriso pós-coito.

Seu sorriso só se compara ao de Archer, com o corpo todo regenerado, da ponta do moicano azul até as botas pretas. O sorriso é tão amplo que empurra seu alfinete de segurança quase para uma orelha.

Bem abaixo, um velho seco cambaleia, apoiado numa bengala, arrastando uma longa barba. Pergunto a Archer se ele é um demônio.

– Ele? – diz Archer, apontando para o velho. – É a porra do Charles Darwin! – Archer dispara uma bola de cuspe, que cai, cai, cai e aterrissa perto o suficiente para fazer o velho levantar o olhar. Quando eles fazem contato visual, Archer grita: – Ei, Chuck! Ainda está fazendo trabalho para o Diabo?

Darwin levanta uma mão murcha, cheia de veias, para mostrar o dedo médio para Archer.

Pelo visto, os cristãos fundamentalistas criacionistas estavam certos. Como gostaria de poder dizer a meus pais: todo mundo no

Kansas estava certo. Sim, os manipuladores de cobra que se casam dentro da família e os carolas pentecostais tinham mais no saco do que minha mãe e pai bilionários e humanistas seculares. As forças negras do mal *realmente* plantaram aqueles ossos de dinossauro e fósseis falsos para enganar a humanidade. A evolução era uma tolice, e caímos na isca, na linha, no fundo do poço.

No horizonte, destacado contra o flamejante céu alaranjado, um prédio toma forma.

Virando a cabeça para olhar no vasto rosto flutuante de lua cheia de nossa gigante saciada, Leonard grita:

– Glavni stab. Ugoditi. Zatim.

Para mim, Leonard diz:

– Sérvio. Aprendi algumas palavras nos cursos avançados.

O prédio ao longe ainda está parcialmente escondido abaixo da curva do horizonte, mas quando chegamos cada vez mais perto, ele se ergue revelando uma complexa extensão de asas e renovações complicadas.

Como contava vantagem antes, realmente as melhores pessoas estão mortas. Desde que cheguei ao Inferno, avistei apenas montes de figuras notáveis da história. Mesmo agora, espiando sobre o canto da palma da gigante, aponto uma figurazinha e digo:

– Gente, vejam!

Patterson protege os olhos com uma mão, mantendo-a sobre a testa como uma saudação, para cortar o brilho laranja ambiente. Olhando para onde aponto, ele pergunta:

– Quer dizer aquele tiozinho?

Aquele "tiozinho", digo a ele, por acaso é Norman Mailer.

Você não consegue andar no Inferno sem topar com alguém importante: Marilyn Monroe ou Genghis Khan, Clarence Darrow ou Caim. James Dean. Susan Sontag. River Phoenix. Kurt Cobain. Sinceramente, a população residente parece a lista de convidados de uma festa que faria ambos meus pais gozarem. Rudolf Nureyev. John F. Kennedy. Frank Sinatra e Ava Gardner. John Lennon e Jimi Hendrix e Jim Morrison e Janis Joplin. Um Woodstock permanente.

Provavelmente, se soubesse das oportunidades de contatos por aqui, meu pai engoliria sem demora veneno de rato e se lançaria contra uma espada samurai.

Apenas para fofocar com Isadora Duncan, minha mãe iria abrir a saída de emergência e saltar do nosso jatinho em pleno voo.

Sério, só de olhar ao redor você sente uma pontada de dó pelas pobres almas que conseguiram passar pelos Portões de Pérola. Não dá para evitar ver a falta de glamour na sala VIP do Céu, um tipo de encontro social não alcoólico com sorvete, estrelando Harriet Beecher Stowe e Mahatma Gandhi. Dificilmente a ideia de qualquer um de um encontro social fashion.

E, sim, tenho treze anos de idade, sou gorda e estou morta – mas não uso a lei da compensação da mesma maneira que homossexuais inseguros, que constantemente tiram do armário Michelangelo, Noël Coward e Abraham Lincoln para levantar a própria baixa autoestima. Verdade que estar morta E no Inferno sugere que alguém viveu uma urucubaca dupla de Grandes Erros, mas pelo menos me encontro em meio à Boa companhia, com B maiúsculo.

Caminhando por lá, ainda alojada na mão de nossa gigante, chegamos mais perto do complexo de prédios que agora parecem se espalhar bem ao longe no horizonte, cobrindo acres, até milhas quadradas de propriedades do Inferno. Ao longo das fronteiras externas, o perímetro dos prédios consiste de pastiche pós-moderno, uma colagem de estilos pegando emprestado pesadamente de Michael Graves e I. M. Pei, com um grupo de trabalhadores já escavando e colocando as fundações de uma série de estruturas em formato de uma costela, em constante expansão de suportes para sugerir as formas ondulantes de Frank Gehry. Dentro dessa margem externa há círculos concêntricos de acréscimos antigos, como os anéis de uma árvore cortada, cada círculo interno identificável com o estilo de uma era anterior. Adjacente às partes pós-modernistas, erguem-se as torres cúbicas de vidro de estilo internacional. Dentro dessas estão os pináculos futuristas cafonas do *art déco*, depois o período de *revival* da época vitoriana, o federativo, o georgiano, o da era Tudor, o egípcio, o chinês, a arquitetura de palácio tibetano, os minaretes babilônicos, tudo isso consistindo de um prédio histórico sempre em expansão. Enquanto os cantos se ampliam, cobrindo a terra quase tão rapidamente quanto o Grande Oceano de Esperma Desperdiçado, o núcleo antigo do complexo apodrece e desmorona.

Quando Pszepolnica chega às margens dos prédios, de sua altura avistamos as partes mais velhas e mais internas, anteriores aos etruscos, incas e mesopotâmios, essas torres e câmaras no centro se despedaçaram em madeira podre e pó de argila.

Este lugar é o ponto nevrálgico do Inferno – os quartéis-generais.

Leonard grita para cima:

– *Ovdje.*

Com isso, a gigante para de andar.

Serpenteando para longe dos muros mais afastados do complexo de prédios, há longas filas de gente esperando. Sem exagero, são literalmente quilômetros de desgraçados. Cada fila leva a uma porta diferente, e com frequência a pessoa na fila dá um passo à frente quando alguém entra.

Leonard grita:

– *Prekid. Ovdje*, por favor.

Escutando essa estranha língua eslava, eu me pergunto quão próximo isso chega da linguagem dos pensamentos de Goran. O dialeto enigmático, misterioso das lembranças e sonhos de meu amado Goran. A língua nativa dele. Para ser totalmente sincera, não estou certa de qual terra destruída pela guerra meu Goran veio.

E, sim, jurei parar de ter esperanças, mas uma garota ainda pode carregar uma tocha acesa.

Enquanto nos aproximamos do fim da longa fila, Leonard diz:

– *Spustati. Sledeic.*

Babette pergunta:

– Estamos ao menos no mesmo *ano*?

Apenas no Inferno você deseja que um relógio de pulso inclua dia, data e *século*.

Com isso, Pszepolnica ajoelha, inclinando-se à frente com cuidado, para gentilmente nos depositar no solo.

XII

Está aí, Satã? Sou eu, Madison. Se puder tolerar outra confissão da minha parte, nunca fui muito capacitada em passar por provas. Confie em mim, não estou tentando colocar a culpa em outra pessoa, mas tenho pavor desse tipo de game show no qual um bocado de nossas vidas é determinado: testar minha memória e talentos mentais numa situação sedentária sob a pressão de um tempo limitado. Enquanto a morte tem suas óbvias desvantagens, é uma bênção que agora tenha uma desculpa inegável e válida para não ter de fazer os testes para a faculdade. Entretanto, parece que não me esquivei totalmente daquela temida bala.

No presente momento, estou sentada num quartinho, numa cadeira de costas retas, ao lado de uma mesa. Visualize o arquetípico quarto todo branco, sem janelas, que analistas junguianos dizem que representam melhor a morte. Um demônio com garras de gato e asas de couro dobradas se inclina, próximo, para ajustar a braçadeira de pressão sanguínea que está enrolada no meu braço, inflando-a até que eu possa sentir minha pulsação latejar no interior do cotovelo. Almofadinhas adesivas prendem os fios de um monitor de batimentos cardíacos até a pele do meu peito, serpenteando entre os botões da minha blusa. Uma fita adesiva segura outro fio que monitora meu pulso. Outros sensores estão presos na frente e atrás do meu pescoço.

– Para monitorar os tremores no padrão da sua fala – Leonard explica. – Um sensor é preso ao músculo cricotireoideo na frente do seu pescoço. Outro sensor no músculo cricoaritenoideo atrás de seu pescoço, perto da espinha. Enquanto você fala, uma baixa voltagem corre entre os dois sensores, registrando quaisquer microtremores nos músculos que controlam suas cordas vocais, indicando quando você está contando uma mentira.

O demônio com as asas de couro e garras de gato tem um hálito pútrido.

Isso veio depois que Babette nos conduziu ao prédio dos quartéis-generais, passando de lado pelas infinitas filas de gente esperando, para levar nosso pequeno grupo através de uma parte desmoronada do prédio, uma fachada ao mesmo tempo inacabada e decaída. Babette nos conduziu a um saguão de espera cavernoso, grande como qualquer estádio, onde incontáveis almas esperavam, constituindo uma mistura do tipo Departamento de Veículos a Motor: gente usando trapos imundos ao lado de gente usando Chanel e carregando pastas executivas. Todas as cadeiras plásticas arredondadas tinham armadilhas de pedaços frescos de chiclete, por isso só as pessoas que conseguiram abandonar toda a esperança arriscavam-se a sentar. Um enorme painel montado na frente do salão dizia: Agora, atendendo o número 5. As distantes paredes de pedra e teto pareciam marrons. Tudo da cor de terra, sépia, cor de sujeira, de meleca. Quase todo mundo ficava de pé, as cabeças pendidas para baixo, deprimidas, como cabeças de pescoços quebrados.

O chão de pedra estava tomado, quase acarpetado, por legiões de baratas gordas banqueteando-se nas sempre presentes pipocas e confeitos. O Inferno é muito parecido com a Flórida, na forma como os insetos residentes nunca morrem. Como um resultado do calor úmido e da imortalidade, as baratas atingem proporções gordas, carnudas, mais associadas a camundongos ou esquilos. Babette me viu saltando, numa perna só, sempre segurando a perna oposta levantada, como uma cegonha, para evitar pisar nas baratas. Então comentou:

– Precisamos roubar uns saltos altos para você.

Até Patterson, usando seu uniforme de futebol americano com ombreiras, praticamente dançava, esmagando uma camada cada vez mais grossa de baratas sob as chapinhas de aço.

O desiludido Archer também saltitava, com as correntes chacoalhando nas botas, os pés deslizando e derrapando nos insetos esmagados. Em contraste, mesmo caindo aos pedaços, os sapatinhos de salto falsos de Babette permitiam que ela caminhasse impérvia em pernas de pau, sobre os pedaços dos insetos.

Abrindo espaço, acotovelando-se para se afastar de uma multidão que já esperava, Babette chegou ao balcão ou longa mesa que corria por toda a extensão da parede. Lá, uma fileira de demônios parecia trabalhar como balconistas, de pé do outro lado da mesa.

Babette jogou sua bolsa falsa no balcão, dirigindo-se ao demônio mais próximo, dizendo:

– Ei, Astraloth. – Ela tirou uma barra grande de Big Hunk da bolsa e a deslizou pelo balcão, inclinando-se para o rosto do demônio. – Nos dê um A137- B17. O formulário curto. Para recurso e pesquisa de registros. – Babette virou a cabeça na minha direção, acrescentando: – É para a nova menina aí.

Estava claro que Babette falava sério.

O ar na sala de espera era tão úmido que cada expiração pendurava-se no ar como uma nuvem branca na frente do meu rosto, nublando meus óculos. Baratas estalavam sob cada passo que eu dava.

Não, não é justo, mas minha mãe e meu pai sempre tiveram prazer em me contar cada detalhe sórdido de cada ato sexual ou fetiche que existia. Outras meninas podiam ganhar o primeiro sutiã aos treze anos, mas minha mãe me ofereceu marcar para ter um diafragma de teste. Além dos passarinhos e abelhas – e boquete, cunete e tesoura –, meus pais nunca me ensinaram nada sobre morte. No máximo meu pai me infernizava para usar hidratante com filtro solar e passar fio dental. Se percebiam a morte, era só no nível mais superficial, conforme as rugas e cabelos brancos de gente muito velha, destinadas logo a expirar. Assim, pareciam muito inclinados a acreditar que, se alguém pudesse manter sua aparência pessoal e suavizar os sinais de envelhecimento, então a morte nunca seria um assunto urgente. Para meus pais, a morte existia apenas como um extremo lógico, resultado de não esfoliar adequadamente sua pele. Um deslize grave. Se alguém falhasse em praticar uma higiene meticulosa, sua vida iria chegar ao fim.

E, por favor, se você ainda está nessa negação, come peito de frango saudável para o coração, com pouco sódio, sem pele, e sente-se todo orgulhosinho enquanto corre na esteira, não finja que é mais realista que meus tresloucados pais.

E NÃO fique com a impressão de que sinto saudades de estar viva. COMO SE realmente me arrependesse de não ficar adulta e ter sangue saindo da minha xereca todo mês e de não aprender a dirigir um veículo movido a combustível fóssil e ver filmes vagabundos para maiores sem um pai nem responsável, depois beber cerveja de um barril, desperdiçando quatro anos para arrumar um diploma meia-boca em História da Arte, antes que algum garoto me esguiche esperma e eu tenha de carregar um bebezão dentro de mim por quase um ano. Porra – sarcasmo totalmente intencional –, de fato sinto saudades de Good Times. E, não, não é como "A raposa e as uvas". Quando vejo a merda que estou deixando para trás, às vezes agradeço a Deus por ter tido uma overdose.

Pronto, disse de novo a palavra com D. Minha nossa! Pode acabar comigo.

Acabei descobrindo que meus registros de condenação se perderam. Ou ainda vão chegar. Ou meus registros foram acidentalmente destruídos. Qualquer que seja o caso, sou forçada a começar do zero, convocada para fazer um teste básico no detector de mentiras e um teste para uso de drogas.

Ao que parece, Babette não é tão inútil quanto imaginava a princípio. Ela ultrapassou um bom bocado de papelada e redundâncias burocráticas, levando nosso pequeno time por um labirinto de corredores e escritórios, subornando burocratas de baixo nível com barras de Hershey e SweeTarts. O Inferno está a séculos de estabelecer uma cultura de economia de papel, e a maior parte do chão está forrada de papéis até os joelhos de registros extraviados, pastas vazias, leituras descartadas de polígrafos, Butter Rum Life Savers e baratas.

A caminho do teste, Archer me aconselha a não cruzar os braços, não olhar para a direita nem para cima – gestos físicos que entregam um mentiroso.

Depois que entregamos o formulário preenchido e passamos ao demônio atendente um Kit Kat, Babette me deseja boa sorte. Ela me dá um abracinho, sem dúvida deixando marcas sujas de mão atrás do suéter.

Babette, Leonard, Patterson e Archer esperam num corredor externo enquanto passo por uma porta para o quarto todo branco de testes. O polígrafo. O demônio inflando a braçadeira de pressão sanguínea no meu braço.

Você pode se lembrar desse mesmo demônio da obra-prima clássica de Hollywood, O *exorcista*, no qual ele possui uma garotinha, filha mimada e precoce de uma estrela de cinema de meia-idade. Fale sobre *déjà vu*. Ei-lo agora, observando meus olhos, procurando mudanças na dilatação das pupilas que possam trair uma desonestidade. O demônio está colocando fios em minha pele para testar se suo, fato que Leonard chama de "condutividade da pele".

Eu digo que adorei a cena em que ele faz a garotinha Regan andar que nem um caranguejo pela escada, com sangue escorrendo da boca. Mais por nervoso, pergunto se o demônio teve outras experiências possuindo gente. Ele fez outros filmes? Ele recebe porcentagem nas vendas? Quem é o agente dele?

Sem afastar o olhar do leitor, aquelas agulhinhas oscilantes que rabiscam linhas numa faixa rolante de papel branco, o demônio diz:

– Seu nome é Madison Spencer?

As perguntas-controle. Para estabelecer uma base de respostas honestas.

Respondo:

– Sim.

Batendo num botão em sua máquina, o demônio pergunta:

– Você tem mesmo treze anos de idade?

De novo, sim.

– Rejeita Satanás e todas as suas obras?

Bem fácil. Dou de ombros e digo:

– Claro, por que não?

– Por favor – o demônio pede –, é muito importante que você responda apenas sim ou não.

Digo:

– Desculpe aí.

O demônio indaga:

– Você aceita o senhor Deus como o único Deus verdadeiro?

Bem fácil, moleza; de novo digo:

– Sim.

O demônio prossegue:

– Reconhece Jesus Cristo como seu salvador pessoal?

Não sei ao certo, mas digo:

– Sim?...

As agulhas rabiscam no papel; não muito, só um pouco. Não consigo saber ao certo, mas talvez a íris dos meus olhos de repente tenham se contraído. O dogma me parece bem familiar, mas isso não é nenhuma forma de catequismo que meus pais tenham me treinado para recitar. Os próprios olhos do demônio nunca deixam as linhas pintadas oscilantes. Ele diz:

— Você é atualmente ou já foi alguma vez praticante de religião budista?

Pergunto:

— O quê?

— Sim ou não — diz o demônio.

— Por quê? Budistas não vão para o céu?

Enquanto meus pais ficaram bem longe de serem perfeitos, nenhum de seus pecados era intencionalmente maldoso, então me parece bem traiçoeiro repudiar cada ideal que eles se esforçaram para incutir em mim. A coisa é a velha questão de trair seus pais *versus* trair uma entidade. Só queria usar uma auréola e dirigir uma nuvem. Só quero tocar uma harpa.

Sem pestanejar, o demônio diz:

— Você acredita que a Bíblia é a única palavra verdadeira de Deus?

— Isso inclui aquelas partes bem loucas do Levítico?

Seguindo em frente, o demônio pergunta:

— Na sua opinião sincera, a vida começa na concepção?

Sim, sei que deveria estar morta, sem corpo físico e necessidades ou fisiologia, mas comecei a suar feito um porco. Meu rosto está quente e corando. Meus dentes ficam travados, suavemente rangendo. Meus punhos se cerram com firmeza, com ossos e músculos tomando forma sob minha pele, que vai ficando branca nos nós dos dedos.

Arrisco:
– Sim?
– Você aprova a reza obrigatória em escolas públicas? – o demônio pergunta.

Sim, eu quero ir para o Céu – quem não quer? –, mas não se isso significar que tenho de ser uma filha da puta completa.

Respondendo sim ou não, aquelas agulhinhas vão sambar feito loucas, respondendo ou à minha desonestidade ou à minha culpa.

O demônio diz:
– Você vê atos sexuais entre indivíduos do mesmo gênero como uma aberração?

Pergunto se posso voltar a essa pergunta depois.

O demônio diz:
– Vou considerar um não.

Ao longo da história de teologia, Leonard tentou explicar que as religiões debateram sobre a natureza da salvação, se as pessoas são provadas sagradas por suas boas obras ou por sua fé profunda e inerente. As pessoas vão para o Céu porque agiram bem? Ou vão para o Céu porque são predestinadas... porque *são boas*? É uma história antiga, de acordo com Leonard; agora que o sistema todo se baseia em ciência forense. Testes de polígrafo. Detecções psicofisiológicas de mentiras. Análise de estresse da voz. Podem-se até enviar amostras de cabelo e urina, dada a nova política de tolerância zero para abuso de drogas e álcool no Céu.

Em segredo, colocando minhas mãos nos bolsos laterais da minha bermuda-saia, cruzo os dedos.

O demônio pergunta:
– A humanidade tem o domínio absoluto sobre todas as plantas e animais do mundo?

Com os dedos cruzados, digo:

– Sim?

– Você aprova o casamento entre indivíduos de diferentes origens raciais?

O demônio continua perguntando sem hesitar.

– O estado sionista de Israel deve ter permissão de existir?

Pergunta após pergunta, fico desconcertada. Até com os dedos cruzados. O paradoxo: Deus é um cretino racista, homofóbico e antissemita? Ou está testando para ver se eu sou?

O demônio pergunta:

– Mulheres deveriam ter permissão para cargos públicos? Para ter imóveis? Para operar veículos automotivos?

Vez ou outra ele se inclina para o polígrafo, usando uma caneta com ponta de feltro para escrever notas ao lado das leituras no papel rolante.

Viajamos até os quartéis-generais do Inferno porque pedi para preencher uma solicitação. Meu motivo é... se assassinos assumidos podem permanecer no corredor da morte por décadas, exigindo acesso a bibliotecas de direito e defensores públicos gratuitos enquanto escrevem depoimentos e argumentos com tocos de lápis e giz de cera, parece justo que eu possa apelar da minha própria sentença eterna.

Naquele mesmo tom em que um caixa de supermercado perguntaria "Papel ou plástico?", ou um atendente de *fast-food* questionaria "Quer fritas para acompanhar?", o demônio pergunta:

– Você é virgem?

Desde o Natal passado, quando congelei minhas mãos na porta do alojamento e fui forçada a arrancar a camada externa de pele, minhas mãos ainda não sararam totalmente. As linhas cruzando minhas palmas, a linha da vida e do amor, estão quase apagadas. Minhas impressões digitais estão fracas, e a nova pele está durinha e sensível. Agora, nos bolsos, dói manter os dedos cruzados, mas tudo o que posso fazer é me sentar aqui, traindo meus pais, meu gênero e minha política, traindo a mim mesma para dizer a um demônio entediado o que eu acho que seja a mistura perfeita de blá-blá-blá. Se alguém deveria passar a eternidade no Inferno, sou eu.

O demônio pergunta:

– Você apoia as pesquisas profundamente perversas as quais usam células-tronco embrionárias?

Corrijo a gramática, dizendo:

– *Que*... pesquisas *que* usam...

O demônio pergunta:

– Suicídio assistido por um médico vai contra a bela vontade de Deus? – E depois: – Você sustenta a verdade absoluta do design inteligente?

Com as agulhas anotando cada batida do meu coração, o ritmo da minha respiração, minha pressão sanguínea, o demônio aguarda que meu corpo me traia ao questionar.

– Conhece a Agência William Morris?

Apesar de tudo, minhas mãos relaxam um pouco e deixam meus dedos deslizar e parar de mentir. Eu digo:

– Por quê?... Conheço.

E o demônio levanta o olhar da máquina, sorri e diz:

– É quem me representa...

XIII

Está aí, Satã? Sou eu, Madison. Não fique com a impressão de que estou com saudades de casa; mas, nos últimos tempos, tenho pensado na minha família. Não é culpa sua ou da maravilha do Inferno. Só tenho me sentido um bocadinho nostálgica.

Em meu último aniversário, meus pais anunciaram que iríamos a Los Angeles para que minha mãe apresentasse o troféu de uma premiação. Minha mãe fez sua assistente pessoal comprar nada menos que um bilhão de envelopes dourados com cartões em branco dentro. Na última semana, tudo o que minha mãe fez foi abrir os envelopes, tirar os cartões e dizer:

– O Prêmio da Academia de Melhor Filme vai para...

Para praticar evitar o riso, minha mãe me pediu que escrevesse títulos de filmes nos cartões como *Agarre-me se puder II*, *Jogos mortais IV* e *O paciente inglês III*.

Estamos sentados na parte de trás de um Town Car, sendo conduzidos de algum aeroporto para algum hotel em Beverly Hills. Estou acomodada no assento reclinável, de frente para minha mãe, para que ela não possa ver o que escrevo. Depois disso, passo o cartão à assistente dela, que o enfia num envelope, lacra-o com um selo dourado e entrega o produto acabado para minha mãe abri-lo.

Não vamos para o Beverly Wilshire porque foi onde tentei mandar o corpo do meu gatinho descarga abaixo – pobre Listra de Tigre –, e um encanador teve de vir e consertar metade das privadas do hotel. Também não vamos para a casa em Brentwood, porque essa viagem é só por 72 horas, e minha mãe não tem certeza de que Goran e eu não vamos zoar com o lugar todo.

Num cartão em branco, escrevo *A vingança de Porky*. Em outro, *Doido para brigar, Louco para amar*. Quando escrevo *A morte de Freddy: o último pesadelo*, pergunto à minha mãe onde ela colocou minha blusa rosa com os fru-frus na frente.

Rasgando um envelope, minha mãe diz:

– Você verificou seu closet em Palm Springs?

Meu pai não está no carro. Ficou para supervisionar a manutenção do nosso jato. Se é uma piada, nem vou me aventurar a perguntar, mas meu pai está redesenhando o Learjet para que tenha o interior revestido de tijolos orgânicos e vigas entalhadas à mão, com piso de pinho nodoso. Tudo isso cultivado sustentavelmente pelos *amish*. Sim... e instalado num jato. Para cobrir os pisos, ele juntou todos os Versace e Dolce de minha mãe da última temporada e os entregou a trançadeiras de tapete tibetanas; chamou isso de "reciclagem". Vamos ter um jato enfeitado com lareira que queima madeira falsa e lustres de chifres de veado. Ganchos para planta de macramê. Claro que todo o tijolo e a madeira são apenas para dar um toque, mas, para decolar, o avião ainda vai consumir algo em torno do produto diário de todo o suco de dinossauro bombeado do Kuwait.

Bem-vindo ao começo de outro glorioso ciclo de mídia.

Todo esse rebuliço é para justificar que ganhem a capa do *Architectural Digest*.

Sentada à frente, minha mãe rasga outro envelope:

– Este ano, o prêmio da Academia de Melhor Filme vai para...
– Ela puxa o cartão do envelope e começa a rir. – Maddy, que vergonha! – Minha mãe mostra o cartão a Emily ou Amanda ou Ellie ou Daphne, ou quem quer que seja sua assistente esta semana. O cartão diz: O *piano II: o ataque dos dedos*. Emily ou Audrey, ou quem quer que seja, não entende o trocadilho.

A boa notícia é que o Prius é pequeno demais para que Goran e eu acompanhemos meus pais à cerimônia de premiação. Portanto, enquanto minha mãe estiver no palco tentando não se cortar com o papel ou desmoronar de tanto rir ao dar o Oscar a alguém que ela odeia, Goran será minha babá no hotel. Fique calmo, meu selvagem coração palpitante. Tecnicamente, uma vez que Goran não fala inglês o suficiente para pedir pornô *pay-per-view*, eu é que vou ser a babá dele, mas solicitaram que assistíssemos à premiação na televisão, para que pudéssemos avaliar se minha mãe deveria se preocupar ou não com a próxima apresentação em situação semelhante.

Era por isso que precisava da blusa rosa – para ficar gostosa para Goran. Iniciando o notebook da minha mãe, aperto Control

+ Alt + S, usando as câmeras de segurança para verificar o closet do quarto em Palm Springs. Digito para acessar as câmeras em Berlim e checo meu quarto lá.

– Veja em Genebra – propõe minha mãe. – Diga à empregada somaliana para enviá-la por Fedex.

Aperto Control + Alt + G. Aperto Control + Alt + B. Checando Genebra. Checando Berlim. Atenas. Cingapura.

Para ser honesta, Goran é a razão mais provável para que não possamos ir à cerimônia do Oscar este ano. É arriscar demais que, quando as câmeras deem um zoom nos filhos dos Spencer, Goran possa estar bocejando ou enfiando o dedo no nariz, ou roncando, jogado no assento de veludo vermelho no teatro, ou dormindo com baba escorrendo do canto dos lábios sensualmente carnudos. Isso tudo ficou para trás, mas, quem quer que tenha sido o funcionário responsável pela seleção de potenciais crianças para adoção, com certeza perdeu o emprego ao colocar o nome de Goran à frente. Meus pais fundaram uma entidade beneficente que basicamente emprega um bilhão de relações-públicas para emitir *press releases* que divulgam a generosidade deles. Sim, meus pais podem doar mil dólares para construir um prédio escolar no Paquistão, mas depois pagam mais meio milhão para filmar um documentário sobre a escola e fazem conferências com a imprensa e todo o círculo de mídia, certificando-se de que o mundo inteiro saiba o que realizaram.

Desde a primeira sessão de fotos, Goran foi uma decepção.

Não derramou lágrimas de felicidade diante das câmeras, tampouco se referiu aos pais adotivos com nada além de um carinhoso "senhor e senhora Spencer".

Todos conhecemos aqueles comerciais de TV em que um cachorro ou um gato afunda o focinho numa tigela de ração seca para demonstrar o quanto é gostosa, mas isso tudo porque o animal foi mantido sem comida antes e está morto de fome. Bem, o mesmo princípio deveria fazer Goran sorrir orgulhoso em seu novo traje Ralph Lauren, ou Calvin Klein, ou de quem quer que meus pais estivessem faturando. Esperava-se que Goran engolisse qualquer guloseima que não fosse racionada ou derivada de soja, enquanto bebesse da garrafa de qualquer que fosse a bebida esportiva que patrocinasse o evento, segurando a garrafa de modo que o rótulo ficasse bem à mostra. É muito trabalho para um órfão marcado pela guerra, mas já vi moleques que meus pais adotaram, até de quatro anos de idade, do Nepal, do Haiti e de Bangladesh, vestirem o padrão Baby Gap dos meus pais e comerem figos recheados com *haggis* feito com carneiro abatido sem crueldade e *aioli* com cominho – além de mencionar sem parar o projeto de filme de minha mãe que estivesse indo para as telas.

Tive essa uma irmã por cerca de cinco minutos – meus pais a resgataram de um bordel em Calcutá –, mas, no momento em que ela sentiu a câmera no quarto, abraçou os novos tênis Nike e as Barbies chorando lágrimas de alegria tão realistas e fotogênicas que fizeram Julia Roberts parecer uma impostora.

Em contraste, Goran bebeu a devida bebida energética sabor xarope de milho enriquecida com vitaminas e fez uma careta como se padecesse de algum mal-estar. Goran se recusa, assumidamente, a fazer parte desse jogo. Tudo o que faz é me olhar de cara feia, mas isso é tudo o que faz com todo o mundo. Quando seu olhar ranzinza, de ódio, me penetra, juro, sinto-me exatamente como

Jane Eyre sendo encarada pelo sr. Rochester. Sou Rebecca de Winter sob a fria inspeção do novo marido, Maxim. Após uma vida inteira sendo mimada e pajeada por empregados, por lacaios e bajuladores da mídia, acho o desdém odioso de Goran totalmente irresistível.

O outro motivo pelo qual não vamos ao Academy Awards é porque sou uma enorme e imensa porca recheada com farofa. Minha mãe nunca admitiria isso. Bem, talvez só para a *Vanity Fair*.

Quando o motorista leva a mim e a minha mãe ao saguão do hotel, Goran permanece na pista de decolagem, onde meu pai se esforça para explicar o próprio talento surreal inerente em decorar o interior de uma aeronave de vários milhões de dólares da era espacial para que se pareça com a cabana de palha de uma família do tempo das cavernas.

Meu pai vai tagarelar sobre a multivalência de nossa cabaninha meia-boca, que parecerá inteligente e sarcástica perante os literatos cultos, mas mesmo assim será encarada como sincera e ambientalmente avançada para o grupo de fãs outrora jovens dos filmes da minha mãe.

E, sim, posso ser sonhadora e pré-adolescente, mas sei o significado de *multivalência*. Mais ou menos. Acho. Basicamente.

No notebook, teclo Control + Alt + J para dar uma espiadinha dentro do jato. Lá está meu pai, tentando contar a Goran tudo sobre Marshall McLuhan enquanto Goran apenas encara a câmera de segurança, fazendo cara feia na tela do computador direto para mim.

Totalmente por acidente, sério, só uma vez – juro, não sou a Dona Tarada –, digitei Control + Alt + T e dei uma espiadinha em Goran tomando uma ducha, pelado. Não que espiasse de propósito, mas vi que ele já tinha uns pelinhos... *lá*. Para entender minha obsessão insaciável por Goran, o dos lábios carnudos e olhar frio, é preciso compreender que minha primeira foto de bebê apareceu na revista *People*. Pessoalmente, nunca servi como um espelho satisfatório para o sucesso dos meus pais porque o luxo veio de modo natural. Desde o nascimento, o mundo já me era deferente. No máximo, eu servia como suvenir – como as drogas ou a música grunge – da juventude dos meus pais, que há tempos já havia ficado para trás. As crianças adotadas deveriam reafirmar o trabalho árduo da minha mãe e do meu pai, e os prêmios decorrentes disso. Você tira um esqueleto faminto de um buraco na Etiópia, o traz de avião e lhe serve uma seleção de comida orgânica com *havarti* assado, livre de glúten, em tortinhas integrais, e é bem provável que o moleque vá dizer "obrigado".

Eis aqui um garoto que tinha uma expectativa de vida em torno de zero – com os urubus já circulando e babando sobre sua cabecinha –, e ele de jeito nenhum vai ficar todo empolgadinho com uma festa idiota no fim de semana com Babs Streisand em East Hampton.

Mas o que sei eu? Estou morta! Sou uma pirralha falecida. Se fosse brilhante, estaria viva, como você. Mesmo assim, se quer saber, a maioria das pessoas tem filhos bem quando o próprio entusiasmo pela vida começa a esmorecer. Uma criança nos permite revisitar a empolgação que uma vez sentimos sobre, bem... tudo. Uma geração depois, os netos impulsionam nosso entusiasmo mais uma vez. Reproduzir-se é um tipo de dose de energético para nos manter amando a vida. Para meus pais, primeiro tendo euzinha toda *blasé*, depois adotando uma fila de pivetes, terminando com um entediado e hostil Goran, realmente ilustra a Lei da Margem de Retorno Decrescente.

Meu pai lhe diria: "Toda plateia tem a *performance* pela qual espera". Traduzindo: Se eu tivesse sido uma criança mais compreensiva, talvez eles tivessem parecido pais melhores. Numa escala maior, talvez, se tivesse mostrado mais gratidão e apreço pelo precioso milagre da minha vida, a vida em si tivesse parecido mais maravilhosa.

Esse deve ser o motivo pelo qual gente pobre agradece ANTES de comer o jantar nojento de atum cozido.

Se os vivos são assombrados pelos mortos, os mortos são assombrados pelos próprios erros. Talvez, se não tivesse sido tão espertinha e cínica, meus pais não teriam procurado resolver as próprias necessidades emocionais reunindo tantos garotos necessitados.

Quando o motorista chega ao hotel, e o porteiro dá um passo à frente para abrir a porta do carro, eu aperto Control + Alt + B para buscar meu closet em Barcelona, e lá está minha blusa rosa perdida. Numa mensagem instantânea para a empregada somaliana, informo para onde mandar a blusa, ainda em tempo para meu flerte com Goran. Quase digo "obrigada" a ela, só que não sei a palavra exata em sua língua.

E, sim, conheço a palavra *flerte*. Conheço um monte de coisas, especialmente considerando o fato de ser uma garota gorda, morta, de treze anos de idade. Mas talvez não saiba tanto quanto penso que sei.

Minha mãe rasga outro envelope e diz:

– E o vencedor é...

XIV

Está aí, Satã? Sou eu, Madison. Sei o que está pensando... para você, sou apenas uma pivete rica, mimada, que nunca teve de trabalhar um dia na vida. Em minha defesa, tenho orgulho de dizer que arrumei um emprego de tempo integral. Um trabalho genuíno. E agora me mato de trabalhar – se pode perdoar o trocadilho infame. O que se segue pode parecer exagerado, mas, por favor, considere como uma faceta impressionista da morte. Um vislumbre de um dia de minha morte.

Até onde eu sei, você tem uma escolha entre dois tipos de carreira no Inferno. Sua primeira opção é trabalhar para um desses web sites que todo o mundo acha que vem da Rússia ou de Burma, onde homens e mulheres pelados olham sem piscar para a webcam, com olhar vidrado, enquanto lambem os dedos e enfiam aeromodelos plásticos lubrificados ou bananas em seus popôs ou xerecas. Ou isso, ou sorriem falsamente enquanto bebem a própria urina em tacinhas de champanhe. Sabe, o Inferno é responsável por cerca de 85% do total de conteúdo obsceno da internet. Os demônios apenas pregam um lençol úmido velho atrás para servir de cenário, jogam um colchão de espuma no chão, e você deve se desdobrar colocando lixo dentro de você e respondendo a chats em tempo real com pervertidos vivos pelo mundo.

Francamente, eu nunca fui tão desesperada assim por atenção. Não me confunda com uma daquelas pré-adolescentes problemáticas que andam por aí praticamente usando uma camiseta que diz: "Pergunte a mim sobre meu estupro" ou "Pergunte a mim sobre meu alcoolismo".

O segredinho sujo do Inferno é que os demônios estão sempre de olho em você. Se respira o ar deles, se perde tempo, os poderes superiores estão constantemente azucrinando você pelos gastos. Não, não é justo, mas os demônios cobram você pelos seus gastos. O medidor está sempre ligado, você vai acumulando anos de tortura adicional, de acordo com Babette, que pelo que descobri costumava cuidar da papelada do povo até que teve de pegar uma dispensa por invalidez relacionada com estresse e voltar para sua jaula para uma recuperaçãozinha não clerical. Ela diz que a maioria do povo é condenada por apenas algumas eras, mas pegam mais tempo simplesmente por ocupar espaço no Inferno. É como estar acima do limite no cartão de recarga, ou acidentalmente voar com seu jato em espaço aéreo francês; o relógio começa a contar no momento que foi longe demais. Os contadores de centavos ficam de olho, e um dia você recebe uma conta violenta.

Joias e dinheiro não valem nada aqui. O dinheiro são doces, e marshmallows na forma de amendoins são aceitos como pagamento para todos os subornos e dívidas. Barris de cerveja preta são valiosos como rubis. O equivalente no Inferno a centavos são pipocas... alcaçuz... lábios de goma... e estes são jogados de lado com desdém.

Provavelmente eu nem devia lhe dizer isso – o mercado de trabalho já está saturado demais –, mas, se você tem alguma aspiração a receber seus Junior Mints diários, é preciso arrumar uma carreira e começar a trabalhar.

Não que você vá de fato morrer – *você* não –, não depois de todos os antioxidantes que engoliu e todas essas voltas ao redor da represa. Rá!

Mas caso você não queira passar a eternidade se enfiando enema em algum site safado, visto por milhões de homens com sérios problemas íntimos, o outro tipo de trabalho que a maior parte do povo faz no inferno é... telemarketing.

Sim, isso significa ficar sentado numa mesa, acotovelado com outros colegas condenados que se estendem até o horizonte nas duas direções, todos com fonezinhos na cabeça.

Meu trabalho é: as forças das trevas estão constantemente calculando quando é a hora do jantar em qualquer ponto da Terra, e um computador disca automaticamente esses números de telefone para que eu possa interromper a refeição de todo o mundo. Meu objetivo não é de fato vender nada; só pergunto se você tem alguns segundinhos para tomar parte de uma pesquisa de marketing que identifica tendências de consumo de goma de mascar. De enxaguante bucal a amaciante de roupas a seco. Uso meu fone e microfone e trabalho com um fluxograma de respostas possíveis. O melhor de tudo, converso com gente viva – como você –, que ainda anda e respira por aí e não tem ideia de que estou morta e ligando do Além. Acredite em mim, a maioria do povo de telemarketing que liga para você está morta. Como grande parte de todos os modelos pornôs da internet.

Certo, não é como se praticasse cirurgia cerebral ou lei fiscal, mas é melhor do que enfiar lápis de cera no meu popô em um site chamado Loucos Prazeres Ninfo com Meninas Usando Material Escolar [sic].

O discador automático me liga com alguém vivo e eu digo:

– Estou fazendo uma pesquisa de mercado para servir melhor os consumidores de goma de mascar da sua área... Você tem um segundo para responder a algumas perguntas?

Se a pessoa viva desliga, o computador me conecta com um novo número de telefone. Se a pessoa viva responder às minhas perguntas, o fluxograma me instrui a perguntar mais. Cada pessoa sentada aqui tem uma folha laminada com perguntas, mais perguntas do que você poderia contar. A ideia é se impor ao entrevistado, sempre tentando fazer *apenas mais uma pergunta, por favor...* até que o sujeito que deveria estar jantando perde a compostura, e tanto seu bom humor quanto seu jantar são arruinados.

Quando você está morto e no Inferno, suas opções são: fazer algo trivial, mas de maneira que pareça muito importante – por exemplo, pesquisa de mercado sobre uso de clipes de papel –, ou pode fazer algo sério de maneira trivial – por exemplo, parecer entediado e desinteressado enquanto caga numa travessa de cristal e come com uma colher de prata (o cocô, não a travessa).

Se perguntasse para meu pai sobre qualquer seleção de carreira profissional, ele lhe diria: "Não marque um compromisso com um ataque cardíaco". Traduzindo: você tem de seguir seu ritmo e não se esquecer de ir devagar. Nenhum emprego é para sempre. Então relaxe e se divirta.

Com esse objetivo em mente, eu me perco em devaneios. Enquanto pessoas vivas famintas se apressam em terminar nossa conversa, declarando que sua carne de panela está ficando fria, eu estou de fato pensando, viajando, se minha mãe teria agido diferente se soubesse que eu tinha menos do que 48 horas para viver.

Em retrospecto, eu me pergunto: se ela soubesse do meu falecimento iminente, ainda teria economizado e planejado me dar o saco de lembrancinhas de merdas de luxo do Academy Award no lugar de um presente real de aniversário? Se ela soubesse que o relógio estava avançando, quero dizer, e a maioria da areia já tinha escorrido da minha ampulheta.

Perguntando a gente com fome sobre suas preferências em relação a fio dental, lembrei-me de como, quando era bem pequena, eu achava que os Estados Unidos iriam sempre ficar acrescentando estados, costurando mais e mais estrelas na bandeira até que tivéssemos o mundo inteiro. Quero dizer, por que parar no cinquenta? Por que parar no Havaí? Parecia natural que o Japão e a África iriam acabar sendo absorvidos na parte estrelada da nossa bandeira nacional. No passado, empurramos de lado os incômodos navajos e iroqueses para criar californianos e texanos. Podíamos fazer o mesmo com Israel e a Bélgica e enfim conquistar a paz mundial. Quando você é pequeno, de fato acha que ficar maior – mais alto, ganhar músculos e seios – será a resposta para todos os problemas. Minha mãe ainda é assim: sempre adquirindo novas casas em outras cidades. Idem com meu pai: sempre tentando colecionar crianças gratas de lugares horríveis como Darfur e Baton Rouge.

O problema é que crianças traumatizadas nunca ficam em segurança. O irmão de Ruanda que tive por cerca de duas horas fugiu com meu cartão de débito. Minha irmãzinha butanesa por cerca de um dia ficava tomando o Xanax que minha mãe oferecia com prazer... e caiu no vício das drogas. Nada fica em segurança. Até nossas casas em Hamburgo, Londres e Manila ficam vazias, à mercê de ladrões e furacões, e acumulando poeira.

E Goran, bem, do jeito que aquela adoção acabou, é difícil chamar seu resgate de Grande Sucesso.

Sim, eu ainda reconheço a lógica imperfeita dos meus pais, mas se sou tão talentosa e abençoada, por que todos os autores que eu li na vida foram Emily Brontë, Daphne du Maurier e Judy Blume? Por que eu li *Forever Amber*, tipo umas duzentas vezes? Sério, se eu fosse mesmo-*mesmo* brilhante, eu estaria viva e magra, e a estrutura desta história seria uma longa homenagem épica a Marcel Proust.

Em vez disso, com um fone na cabeça, pergunto a algum vivo idiota quais cores de cotonete complementariam melhor sua decoração básica de banheiro.

Numa escala de um a dez, pergunto como alguém avaliaria os seguintes sabores de brilho labial: mel quente... brisa de açafrão... oceano de menta... brilho de limão... safira azul... rosa cremosa... brasa perfumada... e *douche-berry*.

Em relação ao teste de polígrafo, Babette diz para eu não segurar o fôlego. Confrontar os resultados pode levar uma eternidade. Até nós termos algum retorno, ela diz que eu deveria apenas aguentar firme e fazer meu trabalho no telefone. Algumas cadeiras de distância de mim, Leonard pergunta a alguém sobre papel higiênico. Além dele, Patterson senta-se em seu uniforme de futebol, perguntando a alguém sobre sua opinião em relação a repelente de mosquito. Perto deles, Archer segura o fone na lateral da cabeça, para que não amasse o moicano azul, enquanto busca opiniões públicas sobre um candidato para um cargo político.

De acordo com Babette, 98,3% dos advogados terminam no Inferno. Isso em contraste com 23% dos fazendeiros que são condenados eternamente. Os donos de comércio varejista são uns 45%, e 85% de autores de softwares de computador. Talvez um número irrisório de políticos suba ao Céu, mas, estatisticamente falando, cem por cento deles são jogados no poço de chamas. Assim como essencialmente cem por cento dos jornalistas e ruivos. E, por algum motivo, pessoas mais baixas do que 1,55 metro têm propensão a serem condenadas. Além disso, gente com índice de massa corporal maior do que 0,0012. Babette começa a jogar essas estatísticas e você juraria que ela era autista. Só porque ela uma vez trabalhou processando uma papelada para almas a caminho, poderia lhe contar que o número de loiras supera o de morenas numa proporção de três para uma no Inferno. Pessoas com pelo menos dois anos de ensino superior tem quase seis vezes mais probabilidade de serem condenadas. Assim como pessoas com renda anual de mais de sete dígitos.

Com tudo isso em mente, eu imagino que meus pais têm por alto uma estimativa de 165% de probabilidade de se juntarem a mim para sempre.

E, não, eu não tenho ideia de qual deve ser o gosto de *douche-berry*.

Pelos meus fones, uma velha senhora cacareja, tagarelando sobre o sabor de algo chamado chiclete "Beech-nut", e pelo telefone juro que posso sentir o cheiro de mijo dos novecentos gatos dela. O som da respiração da velha, úmido e cheio de estática, estalando e raspando garganta afora, o efeito sibilante de dentaduras mal encaixadas, o volume alto motivado pela perda de audição relacionada com a idade, e ela me permite ir mais fundo no fluxograma do que qualquer um para quem já liguei. Estamos no décimo segundo nível, tópico quatro, questão dezessete: palitos de dente com sabor, pelo amor de Deus.

Estou perguntando se ela consideraria comprar palitos de dente tratados artificialmente para ter gosto de chocolate. De carne? De maçã? Então percebo o quanto a velha deve se sentir solitária e isolada. Provavelmente eu sou o único contato humano que ela teve o dia todo, e seu bolo de carne e pudim de arroz apodrecem no prato à sua frente porque ela é mais faminta por se comunicar com outra pessoa.

Mesmo como operadora de telemarketing, é melhor não abusar demais. Se você não faz uma cara miserável, os demônios vão recolocá-lo ao lado de alguém que assobia. Depois ao lado de alguém que peida.

Pelas perguntas da pesquisa que eu já fiz, sei que a senhora tem 87 anos de idade. Ela vive sozinha numa casa independente. Tem três filhos crescidos que vivem a mais de oitocentos quilômetros dela. Assiste televisão durante sete horas por dia, e no mês passado ela leu catorze romances.

Só para você saber, antes que decida fazer telemarketing em vez de pornô na internet, os safados Pervertidos da Silva que digitam para você com uma mão enquanto abusam de si mesmos com a outra pelo menos não vão partir seu coração. Diferente de velhinhas patologicamente solitárias e aleijados que você questiona sobre limpador de vidros que não deixam manchas.

Ao ouvir essa triste velhinha solitária, eu quero tanto assegurá-la de que a morte não é lá tão má. Mesmo que a Bíblia esteja correta, e seja mais fácil passar um camelo pelo buraco de uma agulha do que entrar no Céu, bem, o Inferno não é totalmente ruim. Claro, você é ameaçado por demônios e o cenário é um pavor, mas ela vai conhecer gente nova. Posso ver pelo código de área 410 dela que ela vive em Baltimore, então, mesmo se morrer e for direto para o Inferno, desmembrada de imediato e engolida por Pszpolnica ou Yum Cimil, não vai ser um grande choque cultural. Ela pode até nem notar a diferença. Não de primeira.

Além disso, fico ansiosa em contar a ela – se ela adora ler livros, vai adorar estar morta. Ler se parece exatamente a como quando você é um defunto. É tudo tão... acabado. Verdade, Jane Eyre é uma personagem eterna, sem idade, mas não importa quantas vezes você leia aquela desgraça de livro, ela sempre se casa com o pavoroso, vítima de queimadura sr. Rochester. Ela nunca entra na Sorbonne para ganhar seu diploma de cerâmica francesa, nem abre um bistrô pretensioso em Greenwich Village, Nova York. Releia aquele livro da Brontë o quanto quiser, mas Jane Eyre nunca vai fazer cirurgia de mudança de sexo ou treinar para se tornar uma ninja assassina fodona. E é patético que ela acredite que é real. Jane só é tinta impressa numa página, mas ela realmente pensa que é uma pessoa viva em carne e osso. Está convencida de que tem livre-arbítrio.

Ouvindo a voz dessa senhora de 87 anos chorando sobre suas dores e desconfortos, eu tenho vontade de encorajá-la a desistir e morrer. Chute o balde. Esqueça os palitos de dente. Esqueça os chicletes. Não vai doer. Eu juro. Na verdade, a morte vai fazê-la se sentir bem melhor. Olhe para mim, quero dizer, só tenho treze anos, e ter falecido é a melhor coisa que já aconteceu comigo.

Como uma palavrinha sábia, eu a aconselharia a se certificar de que está usando um par de sapatos duráveis, de salto baixo e cor escura antes de bater as botas.

Uma voz diz:

– Aqui.

E de pé ao meu lado está Babette, com sua bolsa falsa e saia reta e peitões. Numa das mãos, segura um par de saltos altos com tiras.

– Peguei esses de Diana Vreeland. Espero que sirvam... – diz ela. E os solta no meu colo.

No telefone, a velha de Baltimore continua a soluçar.

Os sapatos de salto são de couro prateado, com tiras nos calcanhares e fivelas imitando diamante sobre os dedos, saltos agulha tão altos que nunca vou ter de desviar das baratas. Esses são sapatos do tipo que eu nunca usei porque me fariam parecer velha demais, e, portanto, fariam minha mãe parecer *realmente* velha. Sapatos ridículos. Esses sapatos ridículos são desconfortáveis, pouco práticos, formais demais, e são mesmo para adultos.

Com a velha ainda resmungando nos meus ouvidos, chuto para longe meus Bass Weejuns e enfio os pés nos sapatinhos de salto com tiras.

E, sim, sei bem todas as razões válidas por que deveria recusar esses sapatos de forma educada, mas com firmeza... Mas, em vez disso, EU OS AMO. E serviram.

XV

Está aí, Satã? Sou eu, Madison. Espero que isso não soe confuso demais. Mas eu abandono, sim, por meio desta e para sempre, o abandono da esperança. Sinceramente, desisti de desistir. É que não fui feita para ser essa pobre coitada desesperançada, desiludida e sem aspirações pelo resto da eternidade, esparramada catatonicamente nas próprias fezes em um chão frio de pedra. A maior probabilidade é que o Projeto Genoma Humano vá descobrir algum dia que eu carregava um gene recessivo para otimismo, porque, apesar de todos os esforços, ainda não consigo passar nem dois dias sem esperança nenhuma. Futuros cientistas vão chamar isso de Síndrome de Poliana, e, forçada a palpitar, diria que a minha foi uma longa história de perseguição ao pote de ouro no fim do arco-íris.

Eu me dei tão bem com Goran porque ele nunca teve permissão para ser criança, enquanto eu fui estritamente proibida de ficar mais velha.

No dia anterior ao da aparição de minha mãe para a entrega do Oscar, ela me levou para passar um dia no spa em Wilshire para um dia de mimos em larga escala, ao melhor estilo mãe-filha. Enquanto ela e eu fazíamos mechas nos cabelos, enrolávamo-nos em roupões de banho brancos felpudos e idênticos, com o rosto coberto de máscara de lama do deserto de Sonora, minha mãe explicou que Goran cresceu como refugiado num desses orfanatos da Cortina de Ferro, onde bebês ficam deitados e são ignorados por completo, sem serem tocados, morando em alas cavernosas até que fiquem grandes o bastante para votar no regime atual. Ou para se alistarem no exército.

Lá no spa, enquanto massagistas laosianas se ajoelhavam para lixar a pele morta dos pés, minha mãe me contou que as crianças precisam de uma quantidade mínima de contato físico para poder desenvolver qualquer sentimento de empatia e conexão com outros seres humanos. Sem esse contato, um bebê pode crescer e se tornar um sociopata, sem consciência nem habilidade de amar. Mais como um gesto político – não apenas para publicidade –, nossas unhas de acrílico estão sendo trocadas. Uma das grandes convicções políticas de minha mãe é que, se as pessoas querem com tanto desespero vir para os Estados Unidos, arrastando-se pelo Rio Grande e colocando a própria vida e membros do corpo em risco, apenas pela oportunidade de colher nossa alface e alisar nossos cabelos, bem, devemos permitir. Nações inteiras não desejam nada além de ter a oportunidade de esfregar o chão da nossa cozinha, ela diz, e impedi-las de fazê-lo seria uma violação dos direitos humanos mais básicos.

Minha mãe é inflexível nesse tema. Estamos, agora, cercadas de vários refugiados políticos e econômicos que se juntam para passar cera em nosso corpo e arrancar os detalhes imperfeitos de nossa constituição.

Depois de todo o tratamento intestinal pelo qual passei, sem falar na eletrólise, as torturas do Inferno não são lá grande terror. Jamais deixo de me impressionar com o fato de que as massas e escórias miseráveis podem fugir da opressão política e da tortura de um governo estrangeiro, mas chegam à América prontos e ávidos para infligir basicamente as mesmas torturas às classes dominantes daqui.

Segundo a opinião de minha mãe, sua pele seca, escamosa, é a oportunidade vocacional de algum imigrante. Além do mais, machucá-la oferece aos imigrantes uma grande terapia catártica para liberar a raiva reprimida.

Lábios secos e rachados e pontas duplas constituem-se degraus para alguém escapar da pobreza na escalada socioeconômica. Passando à meia-idade com celulite e cotovelos ressecados, minha mãe se tornou uma engrenagem econômica que gera milhões de dólares, os quais são direcionados a alimentar famílias e comprar remédios contra o cólera no Equador. Se ela se "deixasse relaxar", com certeza dezenas de milhares pereceriam.

E nao, não negligenciei a maneira decidida com que meus pais depositaram a culpa pela falha de Goran em adorá-los em qualquer um, exceto neles. Para meus pais, se Goran não os amava, isso indicava, de modo claro, que Goran tinha problemas e era incapaz de amar qualquer um.

No spa, os cabeleireiros e artistas pairam ao redor, servos estúpidos como as piores harpias do Inferno, circulando e oferecendo a informação – sempre creditada a uma fonte interna – de que, enquanto Dakota passa por uma linda garotinha, na verdade nasceu com uma genitália masculina supérflua. A assistente pessoal de minha mãe, Cherry, Nadine ou Ulrike, ou quem quer que seja, tagarela que Cameron é tão tapada que comprou a pílula do dia seguinte e, em vez de engoli-la, enfiou-a na xereca.

De acordo com minha mãe, fronteiras nacionais devem ser adequadamente porosas, e rendas devem ser redistribuídas para permitir que todas as pessoas, sem importar a raça, religião ou circunstâncias de nascimento, sejam capazes de comprar os filmes dela. Sua nobre filosofia igualitária pressupõe que todos os seres humanos possam comprar ingressos para seus filmes E limpar seus poros. Ela insiste que nem a África nem o subcontinente indiano vai atingir paridade tecnológica e cultural com o mundo ocidental até que sua densidade de DVD *players* os torne grandes consumidores de suas obras cinematográficas. E, com isso, ela quer dizer trabalho REAL, comercializado no pacote criado pelo estúdio, não apenas em cópias piratas vagabundas do mercado negro, que não paga direitos autorais a ninguém além dos senhores do tráfico e traficantes de escravos sexuais infantis.

Dando sermão aos relações-públicas e cabeleireiros reunidos, minha mãe diz que, se o povo aborígene ou as tribos primitivas ainda não celebram a atuação dela, é só porque essas culturas nativas subjugadas se encontram oprimidas por uma forma maligna de religião fundamentalista. A apreciação florescente de seus filmes está sendo obviamente esmagada por algum ímã diabólico, um aiatolá demoníaco ou um curandeiro.

Reunindo pedicures e esteticistas ao redor da barra do roupão felpudo, minha mãe dá o discurso de que eles não estão apenas embonecando uma atriz para fazer propaganda de um filme. Na verdade, todos nós, minha mãe, seus *stylists* e massagistas, manicures e eu, estamos empenhados em elevar o nível das narrativas cinematográficas densas, que modelam a possibilidade de padrões realmente igualitários, blá-blá-blá... Em vez de desperdiçar a vida como vítimas grávidas, comedoras de terra, com a genitália mutilada por alguma teocracia esmagadora... agora mocinhas do terceiro mundo podem aspirar ser predadoras sexuais tragadoras do cosmo vestindo Jimmy Choo. Com o uso hábil de unhas de acrílico e extensões capilares oxigenadas – nesse ponto ela abre os braços num gesto que abrange a todos –, estamos dando força ao povo oprimido e explorado ao redor do mundo.

Sim, falta à minha mãe até o mais remoto senso de ironia, mas ela está certa de que num mundo perfeito qualquer garotinho ou garotinha miserável poderia crescer e se tornar alguém como... ela. Melhor nem mencionar o fato de que ela e meu pai já brandiam brochuras de papel brilhante para colégios internos de meninos na Nova Escócia. Colégios militares na Islândia. Estava claro: Goran não fora um sucesso, e em qualquer manhã dessas eu o veria, pronto para ser despachado, trocado por um leproso butanês de quatro anos de idade.

Se quisesse pôr em prática meus desejos femininos com Goran, o tempo estava correndo.

Como minha mãe diria: "Você tem de passar a roupa enquanto o ferro está quente". Traduzindo: precisava ficar bonita e tomar a iniciativa logo. De preferência no dia seguinte à noite. De preferência quando meus pais estivessem no palco, entregando Oscars.

A gota d'água foi, naquela semana, quando Goran vendeu cinco dos Emmys de minha mãe pela internet por dez dólares cada um. Antes disso, aparentemente, pegara um monte de prêmios Palma de Ouro da nossa casa em Cannes e os vendera por cinco contos. Depois de uma década de insistência dos meus pais em que prêmios da indústria cinematográfica não significavam nada, e que eram pouco mais que um embaraço com plaquinha dourada, minha mãe e meu pai ficaram putos da vida com aquilo.

Minha mãe encarava cada transgressão de Goran, todo aquele comportamento misantropo, como resultado de ele não ter recebido amor e carinho adequados.

– Você precisa me prometer, Maddy – minha mãe disse –, que vai dedicar a seu pobre irmãozinho uma quantidade extra de paciência e afeição.

Sua infância carente fora o motivo pelo qual, quando meus pais alugaram um parque de diversões para o aniversário dele e trouxeram um pônei Shetland puro-sangue como presente, Goran acreditara que o animal era o almoço. No Halloween, vestiram-no de Jean-Paul Sartre, comigo de Simone de Beauvoir, e pedimos doces pelos corredores do hotel Ritz em Paris com cópias de *A náusea* e *O segundo sexo*, mas Goran não entendeu a piada. Mais recentemente, Goran invadiu o sistema de câmera de segurança do banheiro da minha mãe e vendeu assinaturas para assistir pela internet.

Claro que meu pai queria introduzir o conceito de disciplina e consequências na vida de Goran, mas um garoto que sem dúvida fora torturado com eletrochoques, afogamentos e injeções intravenosas com fluidos que desentupiriam uma pia não ia se sentir pressionado com facilidade por uma ameaça de surra e uma horinha de castigo.

Minha blusa rosa tinha acabado de chegar de Barcelona. Planejava usá-la com uma bermuda-saia e o suéter bordado com o logo que representava o colégio interno na Suíça. Isso, e a alpargata básica Bass Weejun de salto baixo. Logo Goran e eu estaríamos na frente da televisão na suíte de hotel. Sozinhos, só eu e ele, veríamos meus pais chegarem ao tapete vermelho no Prius arrumado pelo relações-públicas. O frio e arisco Goran seria só meu enquanto assistiríamos a mamãe e papai exibirem-se para os *paparazzi*. Assim que estivessem longe o bastante eu planejava pedir serviço de quarto: um jantar *pour deux*, lagosta, ostras e anéis de cebola fritos. De sobremesa, pegaria 150 gramas de *sinsemilla* mexicana geneticamente aperfeiçoada dos meus pais. Não, não é lá muito lógico: meus pais protestavam sem parar contra o milho exposto à radiação, geneticamente modificado, mas, em relação à maconha, os cientistas podiam fazer a macaquice que quisessem. Não importa quão híbrida fosse a erva Frankenstein, botariam aquela bagaça grudenta resinosa num cachimbo e a acenderiam.

Caso ainda não tenha percebido, meus pais não fazem nada com moderação. Por um lado, sofrem pelo fato de que Goran passou a primeira infância sozinho e sem carinho. Por outro, nunca paravam de me tocar, abraçar e beijar, em particular quando os *paparazzi* estavam por perto. Minha mãe limitava meu guarda-roupa a rosa e amarelo. Meus sapatos eram ou sapatilhas de balé

Capezio ou Mary Janes. A única maquiagem que eu tinha eram quarenta tons diferentes de batom rosa. Você vê, meus pais não queriam que eu parecesse ter mais de sete ou oito anos. Oficialmente, estava no segundo ano há décadas.

Quando meus dentes de leite começaram a cair, chegaram a ponto de sugerir que usasse dolorosas dentaduras de dente de leite que a 20th Century Fox forçava na boca adolescente da pequena Shirley Temple. Em situações como esta, sendo massageada, esquadrinhada e polida por uma equipe de especialistas em beleza, desejava também ter sido criada sem carinho, intocada, num orfanato da Cortina de Ferro.

Este ano, a premiação do Oscar coincidiu direitinho com o dia do meu aniversário de treze anos. Com *stylists* se amontoando ao redor de minha mãe, vestindo-a e desvestindo-a como se fosse uma boneca gigante; maquiadores experimentando qual sombra funcionava melhor com qual vestido de marca; cabeleireiros enrolando e alisando seu cabelo, minha mãe sugeriu que eu fizesse uma tatuagenzinha para marcar a ocasião. Uma pequena Hello Kitty ou Holly Hobbie, ela sugeriu, ou então que colocasse um piercing no umbigo.

Meu pai tem um pendor por me comprar bichinhos de pelúcia. E, sim, conheço a palavra *pendor*, apesar de não estar muito certa do que seria um malho.

Só Deus sabe o que uma bela estampa de Holly Hobbie ou Hello Kitty se tornaria depois de esticada e desbotada com o passar dos próximos sessenta anos. Da mesma maneira, meus pais imaginavam que todos os garotinhos e garotinhas do Terceiro Mundo desejavam ficar *iguais* a eles... achavam também que minha infância deveria ser a infância que queriam ter tido, resplandecendo em sexo sem sentido, drogas recreativas e rock. Tatuagens e piercings. Todos os colegas deles pensavam basicamente igual, o que resultou em crianças que o público acreditava ter nove anos de idade ficando grávidas. Daí vem o paradoxo de ensinar musiquinhas infantis ao lado de técnicas contraceptivas. Presentes de aniversário como diafragmas da Hello Kitty, creme espermicida da Holly Hobbie e calcinhas cavadas do Peter Rabbit.

Por favor, não imagine que é divertido ser eu. Minha mãe diz à cabeleireira:

– Maddy não está pronta para uma franja.

E à camareira:

– Maddy é um pouco sensível quando o assunto é sua bunda grande.

Não imagine sequer que me tenha sido permitido falar. Além disso, minha mãe reclama que eu nunca converso. Meu pai diria que a vida é um jogo, e que é preciso arregaçar as mangas e construir algo: escrever um livro; dançar uma coreografia. Meus pais acham que a vida é uma batalha por atenção, uma guerra para ser ouvido. Talvez seja isso que eu admiro em Goran: sua distinta falta de ambição. Goran é a única pessoa que conheço que não negocia um contrato de seis filmes com a Paramount. Que não faz uma exposição de seus quadros no Musée d'Orsay. Tampouco está fazendo branqueamento nos dentes. Goran, apenas ele. Goran não faz lobby em segredo para que os idiotas da Academia ou da Motion Picture Arts and Sciences lhe deem uma estátua brilhante enquanto um zilhão de pessoas fica em pé e aplaude. Nem faz campanha para ganhar sua fatia de mercado. Onde quer que Goran esteja no momento – sentado ou em pé, rindo ou chorando –, está agindo com a clareza de uma criança que sabe que ninguém jamais virá para resgatá-lo.

Enquanto técnicos bombardeiam o lábio superior dela com lasers, minha mãe diz:

– Não é divertido, Maddy? Só nós duas, juntas...

Sempre que há menos de catorze pessoas ao redor, minha mãe considera que se trata de um momento particular entre mãe e filha.

Não, esteja ele sozinho ou sendo observado por milhões, seja amado ou odiado, Goran é a mesma pessoa. Talvez seja isso que mais ame nele – ser tão DIFERENTE dos meus pais. Ou de qualquer um que eu conheça.

Goran certamente, positivamente, NÃO precisa de amor.

Uma manicure com um sotaque cigano – reminiscência de um país onde corretores de títulos analisam o mercado de ações lendo as entranhas de pombas – solta uma baforada em minhas unhas, retendo minha mão nas dela. Depois de alguns instantes, vira a palma para cima e olha a nova pele vermelha, reconstituída, onde eu havia deixado congelar a antiga ao grudá-la na maçaneta da porta na Suíça. Não diz nada essa manicure cigana de olhos esbugalhados, mas por certo está maravilhada pelo modo como minhas linhas foram apagadas; como tanto minha linha da vida quanto a do amor não foram apenas interrompidas... mas apagadas. Ainda segurando minha mão vermelha com seus dedos ásperos, a manicure desvia o olhar de minha mão para o meu rosto, e, com os dedos da outra mão, toca a testa, o peito e os ombros, fazendo um rápido sinal da cruz.

XVI

Está aí, Satã? Sou eu, Madison. Fiz hoje uma nova amiga pelo telefone. Ela não está morta, ainda não, mas já sei que vamos ser melhores amigas pra valer.

De acordo com meu relógio de pulso, estou morta há três meses, duas semanas, cinco dias e dezessete horas. Subtraia isso do infinito e vai ter uma ideia de por que pencas de almas condenadas abandonam toda a esperança. Não quero me vangloriar, mas consegui ficar razoavelmente apresentável apesar das condições soturnas gerais. Nos últimos tempos, resolvi esfregar meus fones e tirar a poeira da cadeira antes de fazer qualquer ligação. No momento, falo com uma senhora que vive sozinha no código de área de Memphis, Tennessee. A infeliz senhora fica presa em casa por dias e dias, refletindo se deve sofrer de novo por outra rodada de quimioterapia apesar da diminuição da qualidade de vida dela.

A pobre doente respondeu a quase todas as perguntas que fiz a ela sobre preferência de chicletes, hábitos de consumo de clipes de papel, seu consumo de cotonetes. Bem, antes contei a ela que eu tinha treze anos, estava morta e relegada ao Inferno. Da minha parte, estou garantindo a ela que a morte é sopa no mel, e que se ela tiver alguma dúvida sobre se vai para o Céu ou Inferno, ela tem de correr para cometer algum crime hediondo. O Inferno, digo a ela, é o *point* do momento.

– Jackie Kennedy Onasis está aqui – digo ao telefone. – Você *sabe* que quer conhecê-la...

Sério, todos os Kennedys estão por aqui, mas isso não deve ser lá uma grande ferramenta de venda.

Ainda assim, apesar da dor do câncer e os efeitos colaterais do tratamento, a senhora de Memphis tem suas reservas sobre abandonar a vida.

Eu a advirto que de maneira alguma as pessoas chegam ao Inferno e atingem alguma forma instantânea de iluminação. Ninguém se encontra trancado dentro de uma cela suja, então bate a mão na testa e diz: "Putz! Fui um *idiota* completo!".

A personalidade histriônica de ninguém é magicamente resolvida. No máximo as falhas de caráter de uma pessoa ficam fora de controle. No Inferno, valentões continuam valentões. Gente raivosa continua raivosa. O povo no Inferno basicamente mantém o mesmo comportamento negativo que lhes garantiu a passagem de vinda.

E, alerto a senhora com câncer, não espere nenhuma assessoria ou instrução dos demônios. Não até que você esteja passando constantemente para eles um suprimento de Chick-O-Sticks e barras de Heath. A burocracia demoníaca, eles podem fingir mexer nos papéis de uma maneira oficiosa, daí prometem rever sua ficha, mas a atitude deles é: Bem, você está no Inferno, portanto deve ter feito *algo*. Dessa maneira, o Inferno é terrivelmente passivo-agressivo. Como a Terra. Como minha mãe. Se você acredita em Leonard, é assim que o Inferno derruba as pessoas – permitindo que ajam de maneira cada vez mais extrema, tornando-se caricaturas selvagens de si mesmas, ganhando cada vez menos recompensas, até que elas finalmente percebem sua estupidez. Talvez, reflito ao telefone, esta seja a boa lição que se aprende no Inferno.

Dependendo do ânimo dela, Judy Garland pode ser mais assustadora do que qualquer demônio ou diabo que você pode encontrar.

Desculpe. Não vi de fato Judy Garland. Ou Jackie O. Perdoe minha mentirinha. Afinal, estou no Inferno.

No pior dos casos, digo à mulher, se a doença com C matá-la e ela terminar no Abismo, precisa me procurar. Sou Maddy Spencer, número da central telefônica 3717021, posição doze. Tenho 1,50 metro, uso óculos e o sapatinho prateado de salto com tirinhas mais descolado que já se viu.

A central telefônica onde eu trabalho se localiza nos quartéis-generais do Inferno, eu instruo a moribunda. É só passar pelo Grande Oceano de Esperma Desperdiçado. Vire à esquerda no borbulhante Rio de Vômito Fervente.

Pelo canto dos olhos, vejo Babette vindo em minha direção. Encerrando, desejo à mulher do câncer boa sorte com a quimio dela, e a aconselho a não fumar baseado demais para o enjoo, já que o bagulho foi sem dúvida o que me mandou direto para minha eternidade pessoal no poço de chamas. Antes de encerrar a ligação, digo:

– Agora, lembre-se, procure por Madison Spencer. Todo mundo me conhece, e vice-versa. Eu lhe mostro as paradas todas.

Bem quando Babette para do meu lado, digo "tchau" e encerro a ligação.

O discador automático já tem outro número tocando nos meus ouvidos. Na telinha suja aparece um número com código de área de Sioux Falls, onde a hora de jantar deve estar começando agora. Desse modo, nós começamos o turno irritando o povo da Inglaterra, depois para o leste dos Estados Unidos, o meio-oeste, a costa oeste etc.

Ao meu lado, Babette diz:

– Ei.

Cobrindo o bocal do fone com uma mão, digo "ei" de volta. Balbucio as palavras *Valeu pelos sapatos...*

Babette me dá uma piscadela.

– Não foi nada. – Dobra os braços sobre o peito, encosta-se um pouquinho, olhando para mim, e diz: – Estava pensando que deveríamos mudar seu cabelo. – Estreitando os olhos, continua: – Pensei talvez em... franjas.

Só ao ouvir a ideia – franja! – minha bunda já dá pulinhos no assento. No fone do meu ouvido, uma voz diz: "Alô?". Parece abafada pela boca cheia de um jantar parcialmente mastigado.

Para Babette, eu balanço a cabeça, entusiasmada. Ao telefone, falo:

– Estamos fazendo uma pesquisa com consumidores para avaliar padrões de compra para itens domésticos comuns...

Babette levanta a mão, bate com o dedo indicador no pulso contrário e balbucia: *Que horas são?*

Em resposta, murmuro: *Agosto.*

E Babette dá de ombros e se afasta.

Nas próximas horas, eu encontro um senhor de idade morrendo de falência nos rins. Uma mulher de meia-idade aparentemente perdendo sua batalha contra o lúpus. Falamos por uma hora, com facilidade. Encontro outro homem que está sozinho, preso num apartamento barato, morrendo de falência cardíaca congestiva. Encontro uma menina da minha idade, treze anos, que está morrendo de aids. Essa última se chama Emily. Mora em Victoria, British Columbia, Canadá.

A todo esse povo morrendo eu recomendo relaxar, a não se prender muito a suas vidas, e não descartar a possibilidade de terminar no Inferno. Não, não é justo, mas apenas os sujeitos no último estágio permitem que eu os importune com trinta ou quarenta perguntas: eles estão tão desgastados pelo tratamento ou tão sozinhos e assustados.

A menina com aids, Emily, de início não acredita em mim. Nem que eu tenho a mesma idade dela, nem que estou morta. Emily não pode ir à escola desde que seu sistema imunológico despencou, e ela já está tão mal que nem se preocupa em repetir o sétimo ano. Em resposta, eu digo a ela que estou namorando o River Phoenix. E, se ela se apressar e morrer logo, dizem que Heath Ledger não está namorando ninguém no momento.

Claro que não estou namorando ninguém, mas qual seria minha punição por contar uma mentirinha ingênua? Vou pro Inferno? Rá! É impressionante como não ter nada a perder faz aumentar sua autoconfiança.

E, sim, poderia partir meu coração conversar com uma menina da minha idade que está sozinha, morrendo de aids no Canadá enquanto os pais trabalham e ela assiste televisão e se sente mais fraca a cada dia, mas pelo menos Emily ainda está viva. Só isso já coloca sua cabeça e ombros acima de mim na ordem das coisas. Além do mais, parece animar o espírito dela encontrar alguém já morto.

No telefone, toda metidinha, Emily anuncia que não apenas ainda está viva, mas não tem intenção de terminar no Inferno.

Perguntei se ela já passou manteiga no pão antes de parti-lo? Alguma vez ela usou a palavra *não*? Já prendeu uma bainha caída com um alfinete de segurança ou fita adesiva? Bem, encontrei milhares de pessoas condenadas ao fogo eterno por pequenos deslizes assim, então é melhor que Emily não conte com o ovo no cu da galinha. De acordo com as estatísticas de Babette, cem por cento do povo que morre de aids é mandado ao Inferno. Assim como todos os bebês abortados. E todas as pessoas mortas por motoristas bêbados.

E todas as pessoas que morreram no *Titanic*, ricas e pobres, também estão fritando. Cada alminha. Repetindo: aqui é o Inferno, não espere muita lógica.

Ao telefone, Emily tosse. Tosse e tosse sem parar. Finalmente ela pega fôlego suficiente para dizer que aids não é culpa dela. Além disso, ela não vai morrer, não por um longo, longo tempo. Ela tosse de novo, e suas tosses terminam em soluços, fungando e chorando, com um chororô bem de menininha pequena mesmo.

Não, não é justo, eu respondo. Na verdade, na minha cabeça, estou tão empolgada. Oh, Satã, imagine só: eu de franja!

No telefone, faz-se silêncio, com exceção do som de choro. Então Emily grita:

– Está mentindo!

Ao fone, respondo:

– Você vai ver.

Digo a ela para me procurar quando chegar. Até lá, eu provavelmente vou ser a sra. River Phoenix, mas vamos fazer uma aposta. Dez barras Milky Way se ela estiver aqui mais rápido do que imagina.

– Pergunte o caminho para qualquer um – continuo. – Meu nome é Maddy Spencer – falo, e ela tem de se certificar de morrer com dez barras de chocolate no bolso para que possamos acertar a aposta. Dez! *E não tamanho míni!*

Sim, conheço a palavra *ruminada*. Não é uma palavra tão suja quanto soa. Mas não, não fico totalmente surpresa quando essa Emily canadense aí desliga na minha cara.

XVII

Está aí, Satã? Sou eu, Madison. Suspeito que meus pais tinham um palpite sobre meu plano secreto de seduzir Goran. Nesta noite, enquanto estão fora, vou confessar meu amor com tanta veemência quanto Scarlett O'Hara se jogando sobre Ashley Wilkes na biblioteca da casa em Twelve Oaks.

Poucas horas antes do Academy Awards, meus pais faziam um estardalhaço sobre que cor de faixa de ação política deviam prender em si mesmos. Rosa para câncer de mama. Amarelo para Trazer os Soldados para Casa. Verde, para mudança climática – só que o vestido da minha mãe era mais laranja do que carmim, então qualquer protesto simbólico iria ser um conflito. Minha mãe dobra uma faixa vermelha, segurando contra seu vestido. Estudando o efeito no espelho, ela diz:

– As pessoas ainda pegam aids? Não ria, mas parece tão... 1989.

Nós três, ela, eu e meu pai, estamos na suíte de hotel, esperando na calmaria entre o cerco do exército de *stylists* e a chegada do Prius. Meu pai chama:

– Maddy? – E, com uma das mãos, estende um par de abotoaduras douradas.

Eu me aproximo com a mão estendida, a palma para cima.

Meu pai joga as abotoaduras na palma da minha mão. Então ele puxa os punhos, punhos franceses, estendendo as duas mãos, com o pulso virado para cima, para que eu as coloque e as feche. São abotoaduras minúsculas que algum produtor deu a todo o mundo como presente de encerramento depois das filmagens do último filme da minha mãe.

Meu pai pergunta:

– Maddy, você sabe de onde vêm os bebês?

Em teoria, sim. Eu entendo a bagunça toda de óvulo e espermatozoide, além de toda essa alegoria antiga sobre encontrar bebês debaixo das folhas de repolhos ou cegonhas trazendo-os, mas só para forçar o que é obviamente uma situação desconfortável, falo:

– Bebês? Mamãe, papai... – Inclinando minha cabeça de uma maneira de certa forma atraente, abro bem os olhos e digo: – Não é o diretor de *casting* que os traz?

Meu pai dobra um braço, puxa o punho da camisa daquela mão e olha para o relógio de pulso. Olha para minha mãe. Sorri com cansaço.

Minha mãe solta sua bolsa de mão na cadeira do hotel e dá um suspiro profundo e pesado. Ela se joga na cadeira e bate nos joelhos, um gesto para eu me aproximar.

Meu pai se levanta, caminha para ficar bem ao lado da cadeira dela, então se abaixa para sentar-se no braço da cadeira. Os dois formam um quadro de beleza e elegância. Estão meticulosamente vestidos em seu smoking e vestido. Cada fio de cabelo no lugar exato. Os dois juntos estão tão prontos para um retrato que não posso resistir a bagunçar com o estado zen deles.

Dedicadamente, cruzo o quarto de hotel e me sento no tapete oriental aos pés da minha mãe. Já estou usando uma bermuda-saia de tweed, a blusa rosa e o suéter para meu tão planejado encontro com Goran. Encaro meus pais com olhos ingênuos de terrier. Olhos grandes de animação japonesa.

– Então, quando um homem ama muito, muito uma mulher... – meu pai diz.

Minha mãe pega a bolsinha de noite do assento ao lado dela. Abrindo o fecho, ela tira um frasco de pílula.

– Quer um Xanax, Maddy?

Balanço a cabeça dizendo que não.

Com suas mãos feitas perfeitamente na manicure, minha mãe faz a *performance* de abrir o frasco e jogar duas pílulas em suas mãos. Meu pai se estica do poleiro do braço da cadeira. Em vez de dar a ele uma das pílulas que segura, ela vira mais duas do frasco. Os dois colocam as pílulas na boca e as engolem a seco.

– Então – meu pai diz –, quando um homem ama muito, muito uma mulher...

– Ou – minha mãe acrescenta, lançando um olhar a ele –, quando um homem ama um *homem* ou uma mulher ama uma *mulher*. – Nos dedos de uma mão, ela brinca com a faixa vermelha de gorgorão.

Meu pai assente.

– Sua mãe está certa. – Acrescenta: – Ou quando um homem ama duas mulheres, ou três mulheres, nos bastidores depois de um grande show de rock...

– Ou – minha mãe diz – quando um bloco de celas inteiro com presidiários ama muito, muito um novo detento...

– Ou – meu pai interrompe – quando um motoqueiro de gangue viciado em metanfetamina do sudoeste dos Estados Unidos ama muito, mas muito mesmo, uma ciclista bêbada...

Sim, sei que o carro está esperando. O Prius. Na avenida da premiação, algum pobre manobrista de talentos está sem dúvida mudando a hora de chegada deles. Apesar de todos esses fatores de estresse, eu simplesmente franzo minha testa pré-adolescente numa expressão confusa que meus pais, cheios de botox, só podem invejar. Mudo meu olhar de um lado para o outro entre os olhos da minha mãe e do meu pai, mesmo quando o Xanax torna seus olhos vidrados e fixos.

Minha mãe levanta a cabeça mandando seu olhar sobre o ombro, para que seus olhos encontrem os do meu pai.

Enfim, meu pai diz:

– Ah, ao inferno com isso. – Enfiando uma mão no bolso da jaqueta, tira seu assistente pessoal digital, ou PDA, do bolso interno. Abaixa-se ao lado da cadeira, trazendo o computador minúsculo à altura do meu rosto. Abrindo a tela, ele tecla Control + Alt + P e a tela é preenchida por nossa sala de mídia em Praga. Ele tecla até que a televisão tome toda a tela do computador, então digita Control + Alt + L e rola uma lista de filmes. Descendo na lista, meu pai seleciona um filme, e um toque depois a tela do computador se enche com um emaranhado de braços e pernas, testículos sem pelos pendurados e peitões de silicone balançando.

Sim, posso ser virgem, virgem e morta, sem conhecimento carnal além das metáforas suaves dos romances de Barbara Cartland, mas ainda posso reconhecer uma teta falsa quando vejo uma.

O trabalho de câmera é atroz. Por todo lado de dois a vinte homens e mulheres lutam, freneticamente envolvidos em violar cada orifício presente com cada dedo, falo e língua disponível. Corpos humanos inteiros parecem estar desaparecendo dentro de outros corpos. A luz é abismal, e o som obviamente foi administrado por amadores que não pertencem ao sindicato trabalhando sem um roteiro final decente. O que aparece para mim lembra menos um encontro sexual do que gente estrebuchando, se contorcendo, ainda não bem mortos e parcialmente decompostos ocupantes de um túmulo coletivo.

Minha mãe sorri. Assentindo para a tela do PDA, ela diz:

– Você entende, Maddy? É daí que vêm os bebês.

Meu pai acrescenta:

– E herpes.

– Antonio – fala minha mãe –, não vamos por aí. – Para mim, ela diz: – Jovenzinha, você tem certeza absoluta de que não quer um Xanax?

No centro do minúsculo filme pornográfico, a orgia horrenda é interrompida. As palavras *Recebendo chamada* se sobrepõem aos corpos emaranhados. Uma luz brilhante pisca no topo do PDA e uma campainha aguda toca. Meu pai diz "Espere", e leva o PDA ao ouvido, onde a pavorosa reunião de membros entrelaçados e genitais se contorcem contra sua bochecha; pênis gravados irrompem seu vil escarro perigosamente perto dos olhos e da boca. Respondendo à chamada, ele diz:

– Alô? Ótimo. Estaremos lá embaixo em um segundo.

Balanço a cabeça novamente. *Não, não, obrigada*, para o Xanax.

Minha mãe já começou a revirar de novo dentro de sua bolsa de noite.

– Este não é seu presente real de aniversário – fala –, mas em todo caso...

O que ela me passa é um maço enrolado de plástico brilhante ou vinil, impresso com a estampa repetida de um gato de desenho animado. O plástico é tão liso que poderia estar molhado, liso demais para se segurar; então, assim que eu me estico para pegar da mão dela, o rolo escorrega e cai ao chão, desdobrando-se para revelar uma série aparentemente interminável da mesma cara de gato. A longa faixa plástica, acolchoada em quadradinhos, segue da minha mão para o chão. Tem um cheiro de hospital, de látex.

Então meus pais se vão; saem pela porta da suíte do hotel antes que me dê conta disso. Estou segurando um suprimento de quatro metros de comprimento de camisinhas da Hello Kitty.

XVIII

Está aí, Satã? Sou eu, Madison. Pouco a pouco, esqueço da minha vida na Terra, de como era me sentir viva e respirante, mas hoje aconteceu algo que me trouxe de volta a lembrança – talvez não de tudo, mas pelo menos me fez perceber o quanto posso estar esquecendo. Ou suprimindo.

O discador automático computadorizado do Inferno torna prioridade máxima ligar para números da lista de "não chamar" do governo federal. Posso praticamente farejar o assado de atum enriquecido com mercúrio no hálito dessas pessoas cujo jantar interrompi, mesmo através da fibra óptica ou qualquer que seja a linha de telefone que conecta a Terra ao Inferno, quando gritam para mim. Os guardanapos deles ainda estão enfiados no colarinho da camisa, estendendo-se à frente, manchados de hambúrguer de primeira qualidade e molho de uma salada elegante. Essa gente raivosa de Detroit, Biloxi e Allentown grita para que eu "Vá para o Inferno...".

E, sim, posso ser uma insensata e grosseira invasora do ritual saboroso de repastos noturnos, mas estou bem além da solicitação hostil deles.

Neste dia, ou mês, ou século, estou presa à minha estação de trabalho, ouvindo gritos e perguntando às pessoas sobre a preferência de consumo em relação a canetas esferográficas, quando algo novo acontece. Uma chamada telefônica vem através do sistema. Uma chamada em espera. Enquanto uns pamonhas que comem bolo de carne gritam comigo, um bipe soa na minha cabeça. Algum tipo de som de espera telefônica. Se essa chamada está vindo da Terra ou do Inferno, não faço ideia, e o identificador de chamada está bloqueado. No instante em que o pamonha do bolo de carne desliga, aperto Control + Alt + Del para limpar a linha e digo:

– Alô?

Uma voz de menina responde:

– É a Maddy? Madison Spencer?

Pergunto:

– Quem está ligando?

– É a Emily – fala a menina –, de British Columbia. – A menina de treze anos. A garota com um caso grave de aids. Ela retornou a ligação. Ao fone, prossegue: – Você está mesmo mortinha da silva?

Tão estática quanto uma porta, respondo.

Emily diz:

– O código de chamada diz que sua área é Missoula, Montana...

Digo a ela que dá na mesma.

Emily fala:

– Se eu ligar para você a cobrar, aceita a ligação?

Claro, respondo. Vou tentar.

E clique, ela desliga.

Verdade que não é totalmente ético fazer ligações pessoais do Inferno, mas todo mundo faz. Do meu lado, o garoto punk, Archer, senta-se com o cotovelo de jaqueta de couro quase tocando meu cotovelo de suéter. Archer brinca com o alfinete de segurança, que pende da bochecha, enquanto fala ao fone:

– ... não, sério, você tem uma voz supertesuda. Depois que a metástase de seu câncer de pele passar, a gente precisa marcar umas paradas aí...

Do outro lado, o cabeção de Leonard olha para a frente, o olhar desfocado, e diz ao fone:

– Rainha vai para G-5...

Mesmo enquanto estou sentada ali, com a cabeça metida no equipamento, o fone cobrindo uma orelha e o microfone virado para ficar na frente de minha boca, Babette se aproxima, circulando e picotando meu cabelo com o alicate de cutícula de sua bolsinha, deixando-me no estilo mais perfeito de pajem com franja reta. Nem ela se importa se estou me socializando à custa do Inferno.

Minha linha toca de novo e uma voz mecânica diz:

– Tem uma ligação a cobrar de...

E a canadense aidética diz:

– Emily.

O computador pergunta:

– Aceita a cobrança?

Respondo que sim.

Pelo fone, Emily fala:

— Só liguei porque é uma emergência terrível. Meus pais querem que eu vá a um novo psiquiatra. Acha que eu devo ir?

Balançando a cabeça, falo para ela:

— De jeito maneira. — A mão de Babette agarra minha nuca, as unhas pintadas de branco afundam até que eu fique bem paradinha. — E não deixe que entupam você de Xanax também.

Pela minha experiência pessoal, nada é pior que abrir seu coração conversando com algum terapeuta, depois perceber que esse dito profissional é na verdade um grande idiota e você acabou de revelar seus maiores segredos a um tapado que usa uma meia marrom e outra azul. Ou então você vê um adesivo Earth First! no vidro traseiro do seu Hummer H3T a diesel no estacionamento. Ou você o pega cutucando o nariz. O precioso confidente que, segundo seus anseios, arrumaria toda a sua *psique* problemática, e que agora abriga suas confissões mais secretas, é só um pamonha com um diploma. Para mudar de assunto, pergunto a Emily como foi que ela contraiu aids.

— Como pode ser? — Emily fala. — Do meu *último* terapeuta, claro.

Indago:

— Era bonitinho?

Emily dá de ombros claramente.

— O suficiente, para um terapeuta decadente.

Brincando com uma mecha do meu cabelo, enrolando-a no dedo e depois a puxando para onde meus dentes possam morder as pontas, pergunto a Emily como é ter aids. E, do outro lado da linha, a careta dela chega a ser audível.

– É como ser canadense – responde. – Você se acostuma.

Tentando parecer impressionada, retruco:

– Uau. Acho que a gente se acostuma com basicamente tudo. – Só para estender a conversa, pergunto se Emily já ficou menstruada.

– Claro – ela me diz. – Mas, quando a carga viral está lá em cima, a menstruação é menos uma grande celebração de ter me tornado mulher e mais um derramamento biológico tóxico descarregado nas calcinhas.

Sem perceber, devo ainda estar mordendo meu cabelo, porque Babette dá um tapa na minha mão. Agita o alicate diante do meu rosto e me lança um olhar indignado. Ao telefone, Emily continua:

– Imagino que, quando estiver morta, possa começar a namorar. Corey Haim está saindo com alguém?

Não respondo, não de imediato, não naquele instante, porque um rebanho de novos recrutas do Inferno agora passa por minha estação de trabalho – uma inundação natural de pessoas que acabaram de chegar, ainda sem muita certeza de que estão mortas. A maioria usa guirlandas feitas de flores de seda no pescoço. Os que não usam óculos escuros têm um olhar espantado e preocupado. Um bando que poderia com facilidade ser toda a população de algum país por aí. Geralmente é prova de que algo terrível acabou de atingir o povinho da Terra.

Ao telefone, pergunto a Emily se algo terrível ocorreu. Um grande terremoto? Um *tsunami*? Bomba nuclear? Uma represa explodiu? Do grande grupo de novatos espantados, a maioria parece usar camisas com estampas havaianas bem vivas e câmeras presas em alças no pescoço. Esse povo todo ostenta queimaduras vermelhinhas do sol, alguns com faixas de óxido de zinco sobre o nariz.

Em resposta, Emily fala:

– Um grande desastre de navio, tipo, um zilhão de turistas morreu por intoxicação alimentar ao comer uma lagosta podre. Por que quer saber?

– Por nada – digo.

Bem no meio do povo, aparece um rosto familiar. A face de um menino. Seus olhos brilham sob a sobrancelha pesada. O cabelo é grosso demais para pentear.

No meu ouvido, Emily pergunta:

– Como você morreu?

– Maconha – respondo. Ainda olhando para o rosto do menino a meia distância, completo: – Não estou bem certa; estava muito chapada.

Ao redor, Archer flerta com uma das líderes de torcida. Leonard dá xeque-mate em algum nerd vivo. Patterson pergunta a alguém na Terra em que posição os Raiders estão esta temporada.

Emily prossegue:

– Ninguém morre por causa de maconha. – Insiste: – Qual é o último detalhe de que se recorda sobre sua vida?

Sei lá, digo.

Do outro lado dessa nova inundação de condenados, o menino vira o rosto. Seus olhos encontram os meus. Ele, da testa franzida e expressão ranzinza. Ele, dos lábios enraivecidos de Heathcliff.

Emily indaga:

– Mas o que foi que matou você?

Digo que não sei.

O garoto ao longe vira e começa a se afastar, esquivando-se e zigue-zagueando para escapar da multidão de turistas envenenados.

Por reflexo, fico de pé, os fones ainda me prendendo à estação de trabalho. E, com um safanão no ombro, Babette me obriga a sentar de novo na cadeira e continua a picotar meu cabelo.

– Do que você se lembra? – Emily pergunta.

Goran, respondo. Eu me lembro de ver televisão, deitada no carpete de barriga para baixo, apoiada nos cotovelos, ao lado de Goran. Espalhadas no carpete ao redor, recordo de bandejas de serviço de quarto com comida pela metade, contendo anéis fritos de cebola e cheeseburgers. Minha mãe aparece na tela da TV. Havia prendido o laço rosa da campanha do câncer de mama no vestido e – quando os aplausos cessaram – disse:

– Esta é uma noite muito especial, por diversos motivos. Foi nesta noite, há oito anos, que minha preciosa filha nasceu…

Jogada no carpete do hotel, entre comida fria e Goran, lembro de ter fervilhado de raiva. Era meu aniversário de *treze* anos.

Recordo das câmeras de TV cortando para mostrar meu pai, sentado na plateia, sorrindo orgulhoso para evidenciar os novos implantes dentários.

Mesmo agora, morta e no Inferno, totalmente pronta para ser flagrada por aceitar uma ligação a cobrar do Canadá, pergunto a Emily:

– No segundo ou terceiro ano… você brincou de jogo de malho?

Emily retruca:

— Foi assim que você morreu?

Não, digo a ela. Mas o jogo é tudo de que me lembro.

E, sim, posso ser esquecida ou estar em negação, ou posso ter cinco anos a mais do que minha mãe gostaria que eu tivesse, mas, enquanto observo a paisagem de camisas havaianas e guirlandas de flores falsas, e algumas das camisas em tons berrantes ainda salpicadas por vômito de comida envenenada, o rosto que vejo sumindo no Inferno distante é o do meu irmão, Goran. Em contraste com a vestimenta espalhafatosa de cruzeiro tropical, Goran usa um macacão rosa, rosa-choque, com um tipo de número costurado em um dos lados do peito.

Ao telefone, a voz ainda ao fundo em meu ouvido, Emily questiona:

— Que jogo do malho é esse?

Agora Goran, o dos lábios carnudos beijáveis e macacão rosa-choque, desaparece na multidão.

XIX

Está aí, Satã? Sou eu, Madison. Por favor, não fique com a impressão de que sempre me vangloriei por ter um intelecto brilhante. Pelo contrário, já tive uma boa cota de erros, quase nenhum relacionado com minha ideia errônea do que se constitui um malho.

Foi alguma vadia da minha escola que me ensinou o jogo do malho. Na escola interna na Suíça, onde eu quase congelei até a morte, mas só perdi toda a pele das minhas mãos, algumas dessas meninas esnobes sempre andavam juntas, três delas eram umas completas piranhas, sirigaitas e vagabas que falavam inglês e francês com o mesmo sotaque do Sistema de Posicionamento Global do Jaguar do meu pai. Caminhavam na pontinha dos pés, cada passo cruzando levemente na frente um do outro, para provar que elas aprenderam vários anos de balé. Essas três meninas estavam sempre juntas, geralmente se cortando ou uma ajudando a outra a vomitar; dentro da esfera insular do colégio interno, elas eram infames.

Estava no meu quarto um dia, lendo Jane Austen, quando essas três bateram à porta e pediram para entrar.

E, não, posso ter uma ocasional tendência antissocial gerada por anos testemunhando meus pais se aproveitando do público que vai ao cinema, mas não sou tão grossa a ponto de mandar essas três colegas picarem a mula. Não, educadamente deixei de lado *Persuasão* e convidei essas três vulgaretes para entrar e se sentar por uns momentos na minha austera, mas confortável cama de solteiro.

Ao entrar, a primeira delas perguntou:

– Conhece o jogo do malho?

A segunda perguntou:

– Onde está seu roupão de banho?

A terceira disse:

– Promete não contar a ninguém?

Claro que eu fingi ter curiosidade. Com toda honestidade, não estava intrigada, mas, a pedido delas, mostrei o tal roupão e vi uma das galinhas tirar o cinto de pano branco das alças do roupão. Outra das vagabas pediu que me deitasse até que estivesse retinha na cama, olhando para o teto distante. A terceira rameira enrolou o cinto na minha garganta e deu o nó nas duas pontas sobre meu tenro pescocinho.

Mais por educação e gentileza inatas do que verdadeiro interesse, eu perguntei se essas preparações eram parte do jogo. O jogo do malho. Estávamos todas nós presentes no meu quartinho, usando o mesmo uniforme de escola de bermuda-saia escura e malha de mangas compridas, mocassins com franjinhas escocesas e meias soquetes brancas. Todas tínhamos onze ou doze anos. Esse dia em particular eu creio que era uma terça-feira.

– Espere aí – disse uma das vacas.

– Parece... *si bon* – respondeu a outra vadia.

A terceira disse:

– Não vamos machucá-la; prometemos.

Minha natureza sempre foi aberta e vulnerável. Onde os motivos e planos dos outros vêm atuar, eu talvez confie demais. Suspeitar de três das minhas colegas me pareceu um pouco improvável, então eu simplesmente confiei nas instruções delas enquanto essas três se colocavam em volta da minha cama. Duas meninas se sentaram cada uma ao lado de um dos meus ombros. A terceira gentilmente tirou os óculos do meu rosto, dobrou-os e segurou enquanto se sentava na cama perto dos meus pés. As outras, uma de cada lado, pegaram as pontas do cinto que estava preso frouxamente no meu pescoço. A terceira as instruiu a puxar.

Que esse episódio demonstre o perigo inerente em ser cria de pais outrora hippies, outrora rasta, outrora punks. Mesmo quando o cinto apertou bem, restringindo minha respiração, impedindo não apenas a passagem de ar mas também o fluxo de sangue ao meu precioso cérebro, eu não fiz nenhum protesto veemente. Mesmo quando estrelinhas piscantes inundaram minha visão do teto, e senti meu rosto avermelhando cada vez mais e as batidas do meu coração latejavam por baixo da clavícula, não ofereci resistência. Afinal, o que estava rolando nada mais era que um jogo, ensinado a mim por colegas minhas num colégio interno bem exclusivo localizado no seio dos Alpes Suíços. Apesar do status de vagabas e putas, essas meninas um dia se formariam para tomar posições como editora-chefe da *Vogue* britânica ou, não conseguindo isso, primeira-dama da Argentina. Etiqueta, protocolo e decoro eram bombardeados sobre nós diariamente. Senhoritas tão requintadas jamais iriam tentar nada desaconselhado.

Sob o ataque delas, eu me imaginei uma governanta inocente em *Frankenstein*, pendurada na forca, com a corda apertando injustamente ao redor do meu pescoço pelo assassinato de um monstro reanimado de um cientista louco. Sufocando, imaginei espartilhos bem apertados. Uma morte lenta por tuberculose. Tocas de ópio. Visualizei desmaios, desfalecimento e overdose massiva de láudano. Tornei-me Scarlet O'Hara, sentindo as mãos poderosas de Rhett Butler enquanto ele tentava sufocar meu amor pelo audaz cavalheiro Ashley Wilkes, e naquele momento, enquanto meus dedos vermelhos em carne viva agarravam as roupas de cama, minha voz áspera de esforço, gritei como Katie Scarlett O'Hara:

– Tire as mãos de mim, seu brutamontes vil!

Quando as estrelas piscantes preencheram minha visão, estrelas e cometas de todas as cores, vermelhos, azuis e dourados, o teto do quarto pareceu ficar cada vez mais perto. Em instantes, a batida do meu coração pareceu cessar, e meu nariz estava quase tocando-o, o teto do quarto, que há poucos momentos estava tão alto sobre mim. Minha consciência parecia estar pairando, flutuando, descendo sobre as ocupantes da cama.

Uma voz de menina disse:

– Corra e dê o beijo nela. – A voz veio de algum lugar atrás de mim. Virando, eu me vi ainda deitada na cama, o cinto de pano ainda apertado no meu pescoço. Meu rosto parecia pastoso e pálido, e as duas garotas sentadas ao lado dos meus ombros ainda puxando as pontas do cinto.

A garota sentada à minha direita disse:

– Pare de puxar, e dê logo o beijo.

Outra menina disse:

– Eca. – As vozes pareciam abafadas e enevoadas, a quilômetros de distância.

A terceira, sentada próximo aos meus pés, abriu meus óculos e os colocou em seu próprio rosto presunçoso. Batendo os cílios e virando a cabeça de um lado para o outro afetadamente, ela disse:

– Olhem para mim... Sou a filha gorda e feia de uma estrela idiota de cinema... Minha foto estava na capa da porcaria da revista *People*... – E as vagabundas riram.

Se me permite um momento de embaraço autoindulgente, eu estava horrível. A pele das minhas bochechas tinha inchado levemente, ficando estufada, parecida com um suflê de damasco. Meus olhos, ligeiramente abertos, pareciam vidrados como a superfície de um *crème brûlée* caramelizado demais. Pior ainda, meus lábios estavam abertos, e minha língua puxada para a frente – verde como uma ostra crua –, numa tentativa de escapar. Meu rosto, da testa ao queixo, variava em tom de um branco alabastro para um azul-claro. A cópia de *Persuasão* estava na cama, ao lado da minha mão azul.

Enquanto ficava lá, observando tão alheia quanto minha mãe teclando para espiar as empregadas e ajustar a iluminação pelo notebook, não senti nem dor nem ansiedade. Não senti nada. Abaixo de mim, as três garotas desfizeram o cinto de pano do meu pescoço. Uma garota deslizou uma mão atrás da minha cabeça e virou meu rosto levemente, e outra respirou fundo e se inclinou. Seus lábios cobriram meus próprios lábios azuis.

E, sim, eu sei que isso é uma experiência de quase morte; entretanto, estava mais preocupada com meus óculos, que a garota sentada a meus pés usava. Ela disse:

— Assopre. Forte.

A menina inclinada sobre mim.... Quando ela soprou ar na minha boca, pareceu que eu caía do teto e aterrissava no meu corpo. Enquanto pressionava meus lábios, eu me vi mais uma vez ocupando o corpo deitado sobre a minha cama. Tossi. Minha garganta doeu. As três meninas riram. Meu quartinho, minhas cópias esfarrapadas de O *Morro dos Ventos Uivantes* e *Northanger Abbey* e *Rebecca* faiscavam e brilhavam. Meu corpo todo estava elétrico, pulsando e vibrando, tal como na vez em que fiquei pelada à noite na neve. Cada célula minha se enchia de uma nova vitalidade.

Uma das piranhas, aquela que soprou na minha boca, disse:

— Esse é o chamado beijo da vida. — O hálito dela tinha cheiro de chiclete de erva-doce.

Outra menina disse:

— É o jogo do malho.

A terceira sugeriu:

– Quer fazer de novo?

E, levantando minhas mãos fracas, levantando meus dedos frios e trêmulos para tocar minha garganta onde o cinto ainda estava sobre minha nova pulsação acelerada, assenti, de leve, mas repetidamente, sussurrando:

– Sim. – Como para o sr. Rochester, sussurrei: – Minha nossa! Edward, por favor. Oh, sim.

XX

Está aí, Satã? Sou eu, Madison. As pessoas dizem que o mundo é um lugar pequeno... Bom, no Inferno esta deve ser a Semana do Antigo Lar[6]. Sério, todo o mundo parece me conhecer e vice-versa. É como semana do ex-aluno no meu colégio interno, quando todos os velhotes cambaleiam ao redor do campus, todos com olhos turvos. Para todo lugar que olho, parece que um rosto familiar retribui meu olhar.

Meu pai lhe diria: "Quando você está filmando em locação, prepare-se para a chuva". Traduzindo: você nunca sabe o que o destino vai atirar em seu caminho. Num minuto, atraio uma ca-

---

6. Festival norte-americano surgindo em New England em que antigos moradores da cidade são convidados a visitar sua cidade natal para celebrar com os seus habitantres a cultura e a história locais. (N. da E.).

nadense aidética para se juntar a mim no Inferno; no seguinte, avisto meu amado Goran, agora usando um macacão rosa-choque com o que parece ser um número de seguro social bordado no peito. Meu equipamento telefônico ainda está preso no novo penteado esperto de pajem, e eu salto de pé e começo a nadar, usando os braços para abrir caminho em meio a um verdadeiro oceano de turistas gorduchos recém-falecidos, todos salpicados com o próprio vômito envenenado de lagosta. Dentro de instantes, minhas mãos esbarram em alças de câmera, óculos escuros e guirlandas de flores artificiais. Afogada no miasma grudento de cheiro de coco de bloqueador solar barato, grito:

– Goran! – Busco o ar; estou cambaleando e me debatendo entre a maré de turistas intoxicados, e berrando: – Espere, Goran! Por favor, espere! – Não acostumada a andar nos novos sapatinhos de salto, presa nos fios dos fones de trabalho, tropeço e começo a afundar sob a superfície efervescente de gente.

De súbito, um braço me envolve por trás. Um braço preso na manga de uma jaqueta de couro. E Archer me resgata, retirando-me da indolente maré alta daquela manada de errantes mortos.

Com Babette e Leonard me encarando, explico:

– Meu namorado... ele estava lá.

Patterson desembaraça os fios dos fones para mim.

– Calminha aí – diz Babette. Ela explica que precisamos passar umas barras Tootsie Pops ou Oh Henry! para os demônios certos. Se Goran fora condenado só recentemente, os arquivos dele deveriam ser fáceis de encontrar. Ela me conduz para o outro lado, saindo do corredor de telemarketing, sua mão segurando a minha. Babette me puxa pelos corredores, subindo e descendo escadarias de pedras, passando por corredores, portas e esqueletos, por arcos com franjas negras de morcegos dormindo pendurados de ponta-cabeça, por pontes altas e túneis negros respingantes, mas sempre dentro da vasta colmeia de quartéis-generais do submundo. Enfim, chegando a um balcão manchado de sangue, Babette se acotovela nas almas já esperando em fila. Tira um Abba-Zaba da bolsinha e balança para algum demônio que se senta à mesa, um tipo de monstro meio homem, meio falcão, com cauda de lagarto, entretido com palavras cruzadas. Dirigindo-se a ele, Babette diz:

– Ei, Akibel. O que você tem sobre um novato chamado... – Babette olha para mim.

– Goran – completo. – Goran Spencer.

O homem-monstro-falcão-lagarto levanta o olhar da página dobrada do jornal. Umedecendo a ponta do lápis na ponta molhada da língua bifurcada, o demônio fala:

– Palavra com seis letras para "queda de energia"?

Babette desvia o olhar para mim. Utiliza as unhas para ajeitar minha nova franja e deixá-la retinha sobre minha testa.

– Como ele é, querida?

Goran dos olhos vampirescos sonhadores e sobrancelhas tão cerradas quanto as de um homem das cavernas. Goran dos lábios carnudos e crispados e cabelos desgrenhados, o desdém sarcástico e o comportamento de órfão abandonado. Meu silencioso esqueleto animado, tão hostil. Meu amado. Faltam-me palavras. Com um suspiro inconsolado, digo:

– Ele é... moreno. – Com rapidez, completo: – E selvagem.

Babette acrescenta:

– É o namorado perdido da Maddy.

Corando, protesto dizendo:

— Mais ou menos... Só tenho treze anos.

O demônio Akibel gira na cadeira. Virando para encarar uma tela empoeirada de computador, o demônio tecla Control + Alt + F com as pontas das garras de falcão. Quando um cursor verde piscante aparece na tela, tecla "Spencer, Goran". O dedo indicador espeta o Enter.

No mesmo instante, um dedo me bate no ombro. Um dedo humano. E uma voz frágil pergunta:

— Você é a pequena Maddy? — Parada atrás de mim, há uma velhinha curvada. — Por acaso você seria Madison Spencer?

O demônio se senta, o rosto apoiado nas mãos, os dois cotovelos apoiados na mesa, vendo a tela do computador e esperando. Tamborila com impaciência uma garra no canto do teclado, e diz:

— Odeio essa porra de *dial-up*... Pense na era glacial! — Um segundo depois, o demônio Akibel pega as palavras cruzadas de novo. Estudando-as, fala: — Palavra de quatro letras para "peões de jogo".

A senhora idosa que cutucou meu ombro continua me olhando, os olhos reluzentes, o cabelo macio e bem penteado em montes tão brancos como tufos de algodão. Com voz trêmula, continua:

— O pessoal de telefonia disse que você poderia estar aqui. — Sorri com a boca repleta de dentes perolados, dentadura brilhante. — Sou Trudy. Senhora Albert Marenetti...? — a entonação se eleva um pouco, tornando-se uma pergunta.

O demônio bate uma garra de falcão na lateral do monitor, xingando a si mesmo.

E, sim, posso estar totalmente dedicada a localizar meu adorado Goran, personagem dos meus sonhos mais românticos, mas NÃO estou alheia por completo às necessidades emocionais dos outros. Em especial, aqueles recentemente mortos após prolongadas doenças terminais. Jogando meus braços sobre o toquinho de velhinha encurvada, grito:

– Senhora Trudy! De Columbus, Ohio! Claro que me lembro da senhora. – Puxando a bochecha enrugada e maquiada dela, continuo: – Como está aquela coisa do câncer pancreático? – Percebendo nossa situação presente, nós duas mortas e condenadas ao Inferno pela eternidade, acrescento: – Nada bem, imagino.

Com um piscar de olhos azul-celeste, a velhinha comenta:

– Você foi tão gentil e generosa conversando comigo. – Seus dedos senis esticam minhas bochechas. Tomando meu rosto entre as mãos, ela me encara e diz: – Então, pouco antes da minha última ida à casa de repouso, queimei uma igreja.

Nós duas rimos. Estrondosamente. Apresento a sra. Trudy a Babette. O demônio Akibel aperta o Enter de novo, de novo e de novo.

Enquanto esperamos, elogio a sra. Trudy pela escolha de calçado: babuchas pretas de salto baixo. Além disso, usa um terninho de tweed cinza-chumbo e um chapéu tirolês bem chique de feltro cinza, com uma pena vermelha enfiada na alça num ângulo vistoso. Isso sim é um traje que permanece sempre na moda apesar da eterna punição do Inferno.

Babette acena com um Pearson Salted Nut Roll, atiçando o demônio para que trabalhe mais rápido. Perturbando-o, exclama:

– Ei, acelera aí! Não temos a vida toda!

Quem já estava esperando ali solta um risinho leve.

– Esta aqui é a Madison – Babette diz, apresentando-me a todos os presentes. Jogando um braço nos meus ombros e conduzindo-me ao balcão, acrescenta: – Nas últimas três semanas, a Maddy aqui foi responsável por um aumento de sete por cento nas condenações!

Um burburinho atravessa a multidão.

Em seguida, um velhinho se aproxima do nosso grupinho. Segurando um chapéu em ambas as mãos e usando gravata-borboleta de seda listrada, pergunta:

– Por acaso você seria Madison Spencer?

A sra. Trudy interrompe:

– É ela sim. – Sorrindo, a velhinha passa a mão enrugada na minha e me dá um apertão nos dedos.

Olhando para esse homem, com olhos enevoados pela catarata e ombros trêmulos, respondo:

– Ah, não me diga... Você é o senhor Halmott, de Boise, Idaho?

– Em carne e osso – ele responde –, ou o que quer que seja hoje em dia. – Aparentemente bem satisfeito, ele cora.

Falência cardíaca congestiva, digo. Aperto a mão dele e digo:

– Bem-vindo ao Inferno.

Do outro lado do balcão, na mesa do demônio, uma impressora matricial range em operação. Rodas dentadas puxam o papel de alimentação contínua de uma caixa empoeirada. O papel está amarelado e quebradiço. A impressora range sem parar a cada avanço de página, linha por linha, puxada nos trilhos perfurados.

Com o braço de Babette na minha nuca, sua mão pende à altura da lateral do meu rosto. O punho da blusa está puxado e revela linhas vermelho-escuras no pulso. Correndo da manga até a base da palma da mão, abrem-se cicatrizes inchadas, em carne viva, como se tivessem sido produzidas recentemente.

E, sim, sei que suicídio é pecado mortal, mas Babette sempre insistira que fora condenada por usar sapatos brancos depois do Dia do Trabalho.

Com o velho sr. Halmott e a sra. Trudy sorrindo para mim, eu mesma olho descaradamente, primeiro para as cicatrizes, provas do suicídio de Babette, depois para seu sorriso tímido.

Tirando o braço dos meus ombros, puxando a manga para esconder seu segredo, Babette diz:

– Garota realmente, realmente, *realmente* interrompida...

O demônio arranca uma página da impressora e a coloca com força sobre o balcão.

XXI

Está aí, Satã? Sou eu, Madison. Minha última visão do meu amado Goran foi na noite da entrega do Oscar. Se o Inferno, como os antigos gregos dizem, é um lugar de remorso e lembranças, então estou lentamente conquistando isso.

Espreguiçando-nos entre os restos frios de nossa refeição de serviço de quarto, Goran e eu nos esparramamos no carpete na frente da televisão de tela ampla. Acendi um baseado da melhor erva híbrida dos meus pais, dei um pega e passei a bagaça fedida para o objeto da minha adoração pré-adolescente. Por um instante Judy Blume, nossos dedos se tocaram. Mal foi um raspão na ponta dos dedos, nós esparramados no carpete, não muito diferente de Deus e Adão no teto da Capela Sistina, mas uma centelha de vida – ou simplesmente eletricidade estática – estalou e saltou entre nós.

Goran pegou o baseado e tragou. Bateu as cinzas num prato de comida, perto de um cheeseburger comido pela metade e uma travessa de batatas chips murchas. Ficamos sentados em silêncio, segurando a fumaça em nossos pulmões. Românticos anarquistas que somos, ignoramos o fato de que essa era uma suíte para não fumantes. Na televisão, alguém aceitou um Oscar por alguma coisa. Alguém agradeceu a alguém. Um comercial vendia rímel.

Soltando a fumaça, tossi. Tossi e tossi numa crise genuína, finalmente buscando um copo de suco de laranja que ficava numa bandeja com um prato frio de asinhas de frango fritas. O ar na suíte tinha cheiro das festas de comemoração que meus pais faziam no último dia da filmagem principal. Fedor de *Cannabis*, batatas fritas e papel de seda queimado. *Cannabis* e *fondue* de chocolate congelado. Na televisão, um sedã europeu de luxo corria pelas planícies salgadas de desertos, serpenteando entre cones laranja de trânsito, dirigido por outro astro de cinema, e eu não tinha certeza se isso era outro comercial ou um trecho de um filme concorrente. Em seguida, uma atriz famosa bebe um refrigerante diet de uma marca famosa, o que poderia ser um comercial ou um dos filmes. Até os carros rápidos parecem se mover em câmera lenta. Minha mão busca um prato de pão de alho frio, e Goran desliza o baseado fumegante entre meus dedos. Dou outro pega e passo para ele. Busco um prato lotado de camarões amanteigados, fumegantes, de dar água na boca, mas meus dedos tocam apenas o vidro liso. Minhas unhas raspam a barreira de vidro.

Goran ri, soltando grandes nuvens tóxicas fedidas.

Meus camarões, tão sedutores e deliciosos, são apenas um comercial de televisão de uma franquia de restaurantes de frutos do mar. Gostosos, crocantes e completamente fora do meu alcance. São apenas uma miragem que me provoca com sabor na tela de alta definição.

Na televisão, hambúrgueres gigantes rodam devagar, a carne grelhada tão quente que borbulha e cospe gordura. Fatias de queijo caem por cima, derretendo sobre os contornos de bolotas de bife quente. Rios derretidos de calda fluem por uma paisagem montanhosa de sorvete de baunilha cremoso sob um granizo cruel de amendoins moídos. Nevascas de açúcar de confeiteiro enterram sonhos glaceados. Pizzas respingam gotas de molhos de tomate e abrem trilhas de fios puxa-puxa de muçarela.

Goran busca o baseado da minha mão. Dá outro pega, seguindo o fumo com um gole de milk-shake de chocolate.

Mais uma vez com a bituca úmida do cigarrinho de maconha na boca, eu tento distinguir o gosto da saliva do meu amado. Enfiando a língua nas dobras molhadas de papel, sinto gosto de cookies de chocolate subtraído do minibar. Sinto o sabor de frutas artificiais, limões, cerejas, melancia, balas roubadas, proibidas para nós pela propensão a estragar os dentes. Enfim, sob tudo isso, minhas papilas gustativas localizam algo terroso, fecundo, o cuspe do meu homem-menino-rebelde primitivo, a fetidez estrangeira do meu impassível Heathcliff. Meu selvagem rústico e rude. Aproveito isso, o aperitivo antes de um banquete de beijos molhados de Goran. Na ganja queimada, sinto o gosto do resíduo de seu milk-shake de chocolate.

Na televisão, um cesto de nachos, pesadamente ladeados com azeitonas fatiadas e molho sangrento; essa visão dissolve para tomar a forma de uma bela mulher. A mulher usa um vestido vermelho – em retrospecto, mais laranja do que vermelho –, uma fita encorpada de gorgorão presa no corpete. A fita é rosa como tomates fatiados. A mulher diz:

– E os indicados a Melhor Filme do ano são...

A mulher na tela é minha mãe.

Com isso, fico de pé, levantando-me acima do carpete do hotel, cambaleando alta sobre os restos de comida e de Goran. Cambaleio ao banheiro da suíte; lá, eu desenrolo um monte de papel higiênico, quilômetros de papel higiênico, fazendo dois montes de mesmo tamanho que eu enfio na frente do meu suéter. No espelho do banheiro, meus olhos parecem vermelhos e injetados. Fico de lado no espelho e estudo meu novo perfil de busto. Puxo todo o papel de dentro do meu suéter e jogo descarga abaixo – o papel, não o suéter. Estou *tão chapada*. Parece que estou nesse banheiro há anos. Décadas se passaram. Séculos. Abro a gaveta ao lado da pia e puxo a longa faixa de camisinhas da Hello Kitty. Saio do banheiro, apresentando-me para Goran com uma faixa de camisinhas enrolada no meu pescoço como um boá de plumas.

Na televisão, a câmera mostra meu pai sentado na plateia, no meio do salão principal, perto do corredor, no seu assento favorito, porque assim ele pode sair e beber martíni durante os prêmios de merdas estrangeiras entediantes. Poucos instantes se passaram realmente. Todo o mundo aplaude. Ainda parada na porta do banheiro, eu faço uma mesura, profunda.

Goran olha da televisão para mim. Os olhos quase brilham de vermelhidão, e ele tosse. Molho carmim de frutos do mar suja seu queixo. Manchas gosmentas de molho tártaro escorrem-lhe pela camisa. O ar na suíte está enevoado, turvo com a fumaça do baseado.

Amarro a faixa de camisinhas no meu pescoço e aperto bem o nó, dizendo:

– Quer brincar de uma coisa? Você só precisa soprar na minha boca. – Dou um passo à frente, sorrateira em direção a meu amado. – Chama-se jogo do malho.

XXII

Está aí, Satã? Sou eu, Madison. Por favor, não encare isso como uma crítica, mas você precisa mesmo aperfeiçoar seu equipamento de processamento de texto. A leitura da sua impressora matricial é uma merda, sem falar nesses trilhos perfurados que ficam pendurados nos cantos de cada página impressa.

Minha mãe lhe diria: "Dois lábios e uma língua podem prometer qualquer coisa a você". Traduzindo: faça todos os seus acordos por escrito. Sempre mantenha registro de tudo.

No topo do formulário impresso, letras claras da matricial dizem: *Indução ao Inferno. Relatório de Goran Metro Spencer. Idade, 14.*

Debaixo de "Local de morte" há: *Centro de Detenção para Jovens Violentos Los Angeles River.*

Isso explicaria seu traje rosa-choque, completo com número de prisioneiro costurado no peito. Ainda que meio descolado, não seria uma escolha óbvia para o temperamental Goran que conheço.

Sob "Causa da morte", o relatório diz: *Esfaqueado por colega interno durante rebelião.*

Sob "Motivo de condenação": *Condenado por assassinato de Madison Spencer, por estrangulamento.*

XXIII

Está aí, Satã? Sou eu, Madison. Por mais desagradável que a morte pareça, o lado bom é que você só passa por isso uma vez. Depois, a dor some. A lembrança pode ser terrivelmente traumática, mas é só isso: uma lembrança. Ninguém vai pedir bis a você. A não ser, provavelmente, que você seja um hindu.

Provavelmente eu nem deveria lhe dizer essa próxima coisa. Sei como as pessoas vivas são metidinhas.

Encare: toda vez que examina o obituário no jornal e vê que alguém mais jovem que você morreu – em particular se o obituário traz uma fotografia da pessoa sorrindo, sentada em algum gramado bem cortadinho ao lado de um cão da raça *golden retriever* e usando bermudas –, admita, você se sente superior pra caralho. Talvez também se sinta um pouquinho sortudo, mas principalmente você se sente convencido. Todo o mundo vivo se sente superior aos mortos, até os homossexuais e indígenas americanos.

Provavelmente, quando ler isso, só vai rir e tirar sarro de mim, mas eu me lembro de buscar ar, engasgar lá no carpete da suíte de hotel. O topo da minha cabeça estava pressionado contra a base da tela de TV, os restos de nosso banquete de serviço de quarto espalhados em pratos ao meu redor. Goran se ajoelhou escarranchado na minha cintura, debruçado sobre mim, o rosto sobre meu rosto, as mãos agarrando as duas pontas das camisinhas de Hello Kitty que estavam amarradas ao redor do meu pescoço, e ele apertava bem o nó.

O fedor de cada respiração exalada por nós estava pesado, enevoando a suíte com o cheiro de maconha.

Acima de mim, na televisão, tão real que parecia estar parada lá, erguia-se a figura da minha mãe. Ela parecia se projetar para o teto distante da suíte. Em toda a sua altura, brilhando, radiante nas luzes do palco. Luminescente em sua beleza perfeita. Uma visão gloriosa. Um anjo vestido numa grife de luxo. Na televisão, ela fica graciosa e paciente em silêncio, esperando que o aplauso de seu mundo adorado diminua.

Em contraste, meus braços e pernas se debatem, acertando os pratos próximos de camarões jumbo. Minha convulsão desesperada bagunça as tigelas de asinhas de frango fritas que restavam. Derramam molho. Espalham rolinhos primavera.

Na televisão, as câmeras deram um corte para mostrar meu pai sentado na plateia, sorrindo.

Quando os aplausos silenciam, minha serena e amável mãe, sorrindo enigmática, diz:

– Antes de apresentar o Oscar deste ano para Melhor Filme... gostaria de desejar à minha querida filhinha, Madison, um feliz aniversário de oito anos.

A verdade é que tenho treze anos. A pulsação acelera nas minhas orelhas, e as camisinhas cortam a pele tenra do meu pescoço. As estrelas e cometas de vermelho, dourado e azul começam a preencher minha visão, obscurecendo o rosto austero do Goran, obscurecendo minha visão do teto do quarto e minha mãe radiante. No meu uniforme de escola de suéter e bermuda-saia, suo. Os chinelinhos são chutados para fora do meu pé.

Quando minha visão se estreita para um túnel cada vez menor, delimitado por uma margem crescente de trevas, ainda posso ouvir a voz da minha mãe dizendo:

– Feliz aniversário, queridinha. Seu pai e eu a amamos muito, muito. – Um segundo depois, abafada e distante, ela acrescenta: – Agora boa noite, e durma bem, meu tesouro...

Na suíte do hotel, escuto alguém ofegando, buscando ar, alguém tentando respirar fundo, mas não sou eu. É Goran, ofegante pelo esforço de me sufocar, de me estrangular da maneira que instruí de acordo com as regras do jogo do malho.

Daí eu estava flutuando, meu rosto se aproximando do reboco pintado do teto. As batidas do meu coração em silêncio. Minha própria respiração, tranquilizada. Do ponto mais alto do quarto, eu me viro e vejo Goran. Estou gritando:

– Me beije! Me dê o beijo da vida! – Mas nada faz som, exceto os aplausos na televisão, para minha mãe.

Jogada lá no carpete, sou reduzida ao estado da comida fria que me cerca: minha vida apenas parcialmente consumida. Desperdiçada. Logo a ser despejada no lixo. Meu rosto inchado, lívido e com lábios azuis é apenas um conglomerado de traços rançosos, igualzinho aos anéis de cebola fritos e às batatas fritas murchas. Minha preciosa vida, transformada em nada além do que líquidos coagulantes e congelantes. Proteínas ressecadas. Um rico banquete apenas mordiscado. Mal aproveitado. Rejeitado, descartado e sozinho.

Sim, sei que pareço bem fria, insensível à visão patética de uma aniversariante de treze anos morta no chão de uma suíte de hotel, mas qualquer outra atitude iria se apoderar de mim com autopiedade. Flutuando aqui, não quero nada além de voltar e reparar esse terrível engano. Nesse momento, perdi meus pais. Perdi Goran. Pior de tudo, perdi... a mim mesma. No meu plano romântico, havia estragado tudo.

Na televisão, minha mãe faz biquinho. Aperta os dedos com as unhas bem feitas na boca e me manda um beijo.

Goran solta as pontas da faixa de camisinhas e olha para meu corpo com um olhar espantado. Ele salta, fica em pé, entra no quarto e então reaparece usando seu casaco. Não pega a chave do quarto. Não pretende voltar. Nem liga para a emergência. Meu amado, o objeto de minhas intenções românticas, simplesmente foge da suíte de hotel sem nem olhar para trás.

XXIV

Está aí, Satã? Sou eu, Madison. Pergunte-me a raiz quadrada de pi. Pergunte-me quantos celamins há num alqueire. Pergunte-me qualquer coisa sobre a vida atribulada e trágica de Charlotte Brontë. Posso lhe dizer exatamente quando Joyce Kilmer morreu na Segunda Batalha do Marne. Posso dar a combinação de teclas Control + Alt + S ou Control + Alt + Q que vão lhe dar acesso às câmeras de segurança ou manipular a luz e as janelas dos meus quartos selados em Copenhague ou Oslo, aqueles quartos em que minha mãe abaixou o ar-condicionado ao ponto de frigorífico... até as temperaturas de arquivo onde o filtro de ar eletrostático impede um grão de poeira de se depositar, onde minhas roupas e sapatos e bichos de pelúcia esperam no escuro, trancados longe do sol e da umidade, tão pacientes quanto jarros de alabastro e brinquedinhos dourados que acompanhavam qualquer garoto faraó na tumba eterna.

Pergunte-me sobre a ecologia em Fiji e os hábitos pessoais impressionantes dos vagabundos elegantes de Hollywood.

Peça-me que descreva as maquinações políticas impregnadas na cultura exclusiva de meninas de colégios internos hiperexclusivos da Suíça. Só NÃO *me pergunte como estou me sentindo. Não pergunte se tenho saudades dos meus pais. Não me pergunte se ainda choro de tanta falta de casa. Claro que os mortos sentem saudades dos vivos. Pessoalmente, eu mesma sinto saudades de beber chá Twinings English Breakfast e ler os romances de Elinor Glyn em dias de chuva. Sinto saudades de sentir o aroma cítrico de Bain de Soleil trapaceando no gamão com nossas empregadas somalianas, e praticar a gavota e o minueto. Mas, numa escala mais ampla, para ser brutalmente sincera, os mortos sentem saudades de tudo.*

No meu desespero por conversa, para o conforto de uma pequena terapia de bate-papo, telefono para a canadense Emily e uma mulher atende ao telefone. Quando ela pergunta meu nome, digo a ela que sou uma amiga distante de Emily e pergunto se ela pode falar só um minutinho, por favor.

Com isso, a mulher começa a fungar. Depois a soluçar. No telefone, ela respira fundo, estremecendo, engasgando em soluços. Lamúrias.

– Emily – diz ela –, minha filha... – Suas palavras se dissolvem em choro. – Minha filhinha voltou para o hospital... – A mulher tenta se recompor, fungando, perguntando se ela pode passar minha mensagem para a Emily.

E, sim, apesar de todo aquele meu treinamento na Suíça sobre decoro, independentemente do meu treinamento hippie de empatia, no telefone eu pergunto:

– Emily está prestes a morrer?

Não, não é justo, mas o que faz da nossa vida um Inferno é nossa expectativa em viver para sempre. A vida é curta. A morte é para sempre. Você vai descobrir isso muito em breve. Não ajuda em nada ficar todo irritadinho.

– Sim – responde a mulher com voz rouca, em profunda emoção. – Emily está prestes a morrer. – Com a voz amarga de resignação, completa: – Gostaria de mandar algum recado para ela?

– Deixa pra lá – respondo. Mas depois continuo: – Não a deixe esquecer de me trazer dez barras de chocolate Milky Way.

XXV

Está aí, Satã? Sou eu, Madison. Não é verdade que sua vida pisca diante de seus olhos quando você morre. Pelo menos, não ela toda. Parte de sua vida pode piscar. Outras partes levam anos e anos para serem lembradas. Essa, penso eu, é a função do Inferno: um lugar para recordar. Além disso, o propósito do Inferno não é tanto para esquecer os detalhes de nossas vidas como para perdoá-los. E, sim, ainda que os mortos tenham saudades de tudo e todos, não ficam perambulando pela Terra para sempre.

Desta última vez, meu pai voou com nosso jatinho para alguma reunião de acionistas em Praga, porém no mesmo dia minha mãe precisava estar em Nairóbi para pegar algum órfão de lábio leporino e palato fendido ou para um prêmio de um festival de cinema ou alguma bobagem qualquer; então ela alugou um jatinho para voar comigo, só que o pessoal responsável pelo aluguel do jato... eles enviaram o tipo diametralmente ERRADO de jato daquele que minha mãe havia pedido, displicentemente mandando a ela um com ornamentos de banheiro forrados de dourado e afrescos pintados à mão no teto, exatamente o tipo de jato que membros mais jovens da família real da Arábia Saudita alugariam para voar com um harém de garotas de programa vagabas para o Kuwait, e estava tarde demais para mandar um jato diferente, e minha mãe surtou, ela perdeu completamente a cabeça.

Bem, entrando na suíte do hotel depois da Academy Awards e pisando naquele bilhão de travessas de sanduíches comidos pela metade, depois me encontrando morta estrangulada por uma faixa de camisinhas da Hello Kitty – vamos dizer que minha mãe surtou mais um pouquinho.

Naquele momento meu espírito ainda pairava sobre o quarto, cruzando meus dedos espirituais para que alguém se importasse de chamar os paramédicos e eles corressem para realizar algum milagre da ressuscitação. Não é preciso dizer que Goran já havia sumido há muito. Ele e eu havíamos pendurado o sinal de Não Perturbe, então a camareira não havia feito o serviço de recolha. Não havia chocolatinhos sobre os travesseiros. Todas as luzes estavam apagadas, deixando a suíte num breu. Meus pais entraram na pontinha dos pés porque acharam que eu e Goran dormíamos profundamente. Não foi nada bonito.

Não, nunca é especialmente bacana ver sua mãe gritar e gritar seu nome, depois cair de joelhos numa bagunça de anéis de cebola e coquetel de camarão frio, agarrando seus ombros mortos e te balançando, gritando para você acordar. Foi meu pai que ligou para a emergência, mas já era bem, bem, bem tarde. A ambulância que veio teve mais trabalho cuidando da histeria da minha mãe do que me resgatando. Claro que a polícia veio: eles tiraram tantas fotos de mim morta quanto a revista *People* tirou quando eu era um bebê recém-nascido. Os detetives de homicídio coletaram cerca de um milhão de impressões digitais de Goran na faixa de camisinhas. Minha mãe tomou cerca de um milhão de Xanax, um atrás do outro. Durante tudo isso, meu pai deu longos passos para o armário onde as novas roupas de Goran estavam guardadas, abriu a porta do armário e arrancou a malha da Ralph Lauren do cabide, arrebentando e rasgando camisas e calças sem dizer uma palavra, com botões estourando e ricocheteando pela suíte.

O tempo todo, a noite toda, pude apenas assistir, tão destacada e distante quanto minha mãe acessando câmeras de segurança em seu laptop. Talvez eu tenha fechado as cortinas do hotel, ou ligado uma luz, mas ninguém pareceu notar. Na melhor das hipóteses, um vigia. Na pior, uma *voyeuse*.

É um poder, mas um tipo de poder impotente, sem sentido.

Ninguém é mais discriminado do que gente morta por gente viva. Ninguém é tão marginalizado. Se os mortos são retratados na cultura popular, é como zumbis... vampiros... fantasmas, sempre algo que ameaça os vivos. Os mortos são retratados da forma como os negros eram retratados pela cultura de massa dos anos 1960, como um perigo constante, uma ameaça. Qualquer personagem morta deve ser banida, exorcizada, expulsa da sua propriedade como judeus no século catorze. Deportados como mexicanos ilegais. Como leprosos.

Dito isso, vá em frente e ria de mim. Você ainda está vivo, então aparentemente está fazendo algo certo. Estou morta, portanto chute areia no meu rosto gordo e morto.

Neste mundo moderno, dogmático e preconceituoso, vivo é vivo. Morto é morto. E as duas facções não devem interagir. Essa atitude é totalmente compreensível quando você considera o que os mortos fariam com os valores de propriedade e preços de ações. Quando os mortos informassem os vivos de que bens materiais possuídos eram uma grande piada – são uma grande piada –, bem, o povo da De Beers nunca mais venderia sequer um diamante. Fundos de pensão iriam realmente definhar.

Na verdade, os mortos estão sempre ao redor dos vivos. Fiquei com meus pais por uma semana; sério, foi além de perambular por aí para ver o tarado do necrotério bombear meu sangue para fora e aprontar com meu corpinho nu de treze anos. Meus pais ambientalistas escolheram um caixão biodegradável de madeira prensada vagabunda com garantia de se partir com rapidez e encorajar formas de vida bacterianas subterrâneas. Isso é típico de quão pouco respeito você recebe quando morre. Quero dizer, o bem-estar das minhocas tem prioridade.

Considere isso como uma prova positiva de que nunca se é jovem demais para registrar suas diretrizes finais.

Era como ser enterrada dentro de uma *piñata*.

Se eu pudesse decidir, teria sido enterrada num caixão todo de bronze, hermeticamente selado, cravejado de rubis, nem mesmo enterrada, mas colocada para descansar numa cripta de mármore branco entalhado. Numa ilhazinha florestal no centro de um lago. Nos Alpes Italianos. Entretanto, meus pais tinham sua própria visão. Em vez de algo elegante, eles escolheram um coro gospel meloso de alguma igreja que precisava de exposição nacional para um álbum que estavam prestes a lançar. Alguém retrabalhou aquela música do Elton John sobre uma vela, que dizia: "Adeus, Madison Spencer, apesar de nunca tê-la conhecido…". Eles até soltaram um zilhão de pombas brancas. Pensa só no clichê. Pensa só no derivativo.

Entre os mortos que se juntavam, até JonBenét Ramsey sentiu pena de mim. Até o bebê Lindbergh ficou com vergonha por mim.

Ali estava eu, morta, e todas as mocinhas vagabas do colégio interno ainda estavam vivas e participando do meu funeral. As três sirigaitas do jogo ficaram lá, todas piedosas, cabeças abaixadas, sem dizer uma palavra sobre como me ensinaram o jogo do malho. Essas três Piranhas da Silva levaram seus programas impressos do velório para minha mãe e pediram que ela os autografasse. O presidente dos Estados Unidos ajudou a carregar o *biotainer* ecologicamente correto de papel machê para meu túmulo. O mesmo fez o primeiro-ministro da Grã-Bretanha.

Astros de cinema apareceram de maneira sóbria. Algum poeta famoso recitou algum poema vagabundo que não rimava. Líderes mundiais estavam lá para prestar suas homenagens. Conectados por satélite, o planeta todo estava lá para dizer "Adeus".

Com exceção de Goran, meu amado, meu verdadeiro amor…

Goran não estava.

XXVI

Está aí, Satã? Sou eu, Madison. Ocorreu-me que nunca lhe agradeci de modo adequado por me mandar o carro, mas eu deveria; foi um gesto extremamente sensível da sua parte. Você foi muito gentil comigo num momento em que precisava com desespero dessa cortesia. E quero que saiba que sempre vou apreciar essa generosidade.

Ser um espírito recém-morto não é mais fácil que ser um recém-nascido, e fico pateticamente grata por qualquer pitadinha de atenção e cuidados. Amontoados ao redor do meu túmulo em Forest Lawn, todos choravam: minha mãe e meu pai choravam, o presidente do Senegal chorava. Todo o mundo choramingava, com a notável exceção de mim mesma, e isso porque chorar no próprio funeral me parece algo bastante egocêntrico. Não preciso dizer que ninguém podia me ver de verdade, o meu espírito, parada entre aquela gente de luto. Eu sei, eu sei, naquele cenário bem arquetipicamente *Tom Sawyer*, deve ser satisfatório ir ao próprio funeral e testemunhar como todo mundo o adorava em segredo, mas a triste verdade é que a maioria das pessoas é tão falsa com você depois que você morre quanto era quando estava vivo. Se há uma leve margem de lucro nisso, todo o mundo que o odiava vai rasgar as roupas e tornar-se um bebê chorão. Por exemplo: o trio de sirigaitas aproximou-se, com suas magrelas figurinhas pré-adolescentes, de minha desolada mãe e contou-lhe o quanto elas me amavam, com os dedos anoréxicos de aranha e unhas de manicure francesinha brincando com rosários de joias polpudas com pérolas negras do Taiti e rubis e esmeraldas generosos desenhados por Christian Lacroix para a Bulgari, que correram para comprar na Rodeo Drive para o funeral de hoje. Essas três vagabas cochichavam para minha desolada mãe que tinham recebido mensagens espirituais vindas de mim; que continuo visitando-as em sonhos e implorando que passem mensagens de amor e apoio à família, e minha pobre mãe parecia traumatizada o bastante para ouvir essas três horríveis harpias e levar a sério toda aquela mentira.

Em proporção maior, um bando de assistentes de produção loiras se apropriou do meu pai, todas usando luvas pretas sexy de stripper e cada uma tentando superar a perna da outra com as minissaias curtas demais, sobre as pernas bronzeadas e depiladas, enquanto agarravam as bibliazinhas novas em folha, encapadas com couro preto, da mesma forma que fariam com *pocketbooks* Chanel, e era óbvio que estavam dormindo com ele – com meu pai, com toda a sua nobreza banal e mente elevada –, embora não pudesse tirar todos aqueles salários do orçamento de qualquer projeto de filmagem se admitisse que o único trabalho delas é fazer boquete. Esse circo choroso da mídia ao redor de meus restos mundanos, enfiados em uma mortalha de fibra de bambu orgânico junto de uma caligrafia asiática fajuta, lembrava nada mais que um gigante cocô esbranquiçado coberto com pichações de gangues chinesas, situado ao lado da tumba recém-aberta. Tais são as indignidades atiradas contra os mortos: a pedra está esculpida com meu ridículo nome inteiro: Madison Desert Flower Rosa Parks Coyote Trickster Spencer, um segredo pessoal monstruoso que havia mantido durante meus treze anos, e que as três senhoritas piranhas mal podiam esperar para dividir com todos os velhos colegas de classe lá na Suíça, sem mencionar o fato de que as datas de nascimento e morte entalhadas no granito vão me eternizar, de modo errôneo, como uma menina de nove anos. Para acrescentar insulto à injúria, o epitáfio diz: *Maddy descansa agora, nutrindo-se do Leite do Seio Sagrado da Deusa Eterna*.

Toda essa merda asinina é o que você merece se morre sem diretrizes finais protegidas por lei. Estou morta e de pé numa distância decente dessa loucura, mas ainda posso sentir o cheiro de maquiagem e laquê.

E, se não soubesse o significado da palavra *asinina* antes, com certeza sei agora. Quanto à definição de *errôneo*, só tive de olhar por aí.

Se puder engolir mais um fato sobre a vida após a morte, aqui está: ninguém sofre mais num velório do que o recém-falecido. É por isso que me sinto pateticamente agradecida quando desvio o olhar desse lúgubre retrato para ver, estacionado no meio-fio, ao acaso, no canto da rua do cemitério, um Lincoln Town Car preto. O preto lustroso e encerado reflete o exército de enlutados... o céu azul... os túmulos de Forest Lawn... Sério, reflete tudo, menos eu, porque mortos não têm reflexo. Na Terra, os mortos não fazem sombra nem aparecem em fotos. O melhor de tudo, ao lado do carro está um motorista uniformizado, o cabelo oculto em um quepe e metade do rosto escondido atrás dos óculos escuros espelhados. Na mão com uma luva preta, ele segura uma prancheta branca com *Madison Spencer* escrito em letras desenhadas à mão. Esse motorista usa um distintivo cromado com o nome entalhado na lapela, mas não preciso me importar em ler, porque vou esquecer num milésimo de segundo e passarei a chamá-lo de George.

Tendo passado metade da vida saracoteando por aí nesses carros de serviço, conheço bem o esquema. Dou um passo, outro passo, e um terceiro em direção ao carro, e o motorista abre a porta detrás sem uma única palavra, dando um passinho para o lado para que eu entre. Faz uma leve mesura, e o canto da prancheta toca a ponta do quepe em uma pequena saudação. Quando as pernas da minha bermuda-saia escondem-se em segurança no banco, o motorista fecha a porta com um estrondo, o som sólido de um iate americano de qualidade, tão pesado e hermético que cai por terra qualquer sugestão do mundo vivo e respirante lá fora. As janelas tingem-se de um negro tão intenso que pareço estar em um casulo aconchegante de couro preto: o cheiro de couro polido, o frio do ar-condicionado e o brilho suave do vidro sombrio com acabamento interno em metal. O único som vem da divisão antiga que separa os assentos da frente dos de trás. Em meio ao cheiro de couro há uma nota mais sutil; é como se alguém tivesse descascado e comido um ovo no carro, um leve odor de enxofre ou metano. E há o cheiro de pipoca... pipoca e caramelo... pipoca doce. A janelinha no centro da divisão está fechada, mas posso ouvir o motorista sentando e prendendo o cinto com um clique. Ele liga o motor, e o carro se move à frente numa câmera lenta, lânguida. Depois de um longo tempo, a frente do carro sobe. É a mesma sensação que alguém tem com a primeira subida de uma montanha-russa ou a inclinação inacreditavelmente íngreme necessária para um Gulfstream decolar do pequeno aeroporto alpino de Locarno, na Suíça.

O ventre em forro de couro acolchoado que é a traseira do Town Car... Sempre que alguém se encontra num lugar desses é de supor que está em rota para o Hades. No bolsão de revistas há a variedade costumeira de baboseiras, entre elas *Hollywood Reporter*, *Variety* e uma cópia da *Vanity Fair* com minha mãe sorrindo na capa e soltando seu "Gaia, a Terra em primeiro lugar!" nas páginas de dentro. Há tanto *photoshop* nela que parece irreconhecível.

E, sim, meus pais me ensinaram muito bem sobre o poder do contexto e Marcel Duchamp, e como até uma latrina se torna arte quando você a pendura na parede de uma galeria de luxo. Basicamente, todo o mundo pode passar por astro de cinema se você colocar a foto dele na capa da *Vanity Fair*. Deve ser por isso que gostei tanto, tanto de cruzar para o além-vida num Lincoln Town Car, em vez de em um ônibus ou numa canoa, ou em algum carro de boi, metida numa massa suarenta de trânsito. Por isso, de novo: valeu, Satã!

O ângulo íngreme da trajetória de subida do carro e força G resultante me afundavam cada vez mais no estofado de couro. A janelinha na divisão do motorista deslizou para o lado a fim de revelar um motorista de óculos escuros emoldurado no espelho retrovisor. Falando comigo através do reflexo, o motorista diz:

– Se não se importa que eu pergunte... você é parente do produtor cinematográfico Antonio Spencer?

De seus traços, tudo o que posso avistar é a boca, e seu sorriso se estende para se tornar assustadoramente malicioso.

Pego a cópia da *Vanity Fair* e seguro a foto de minha mãe na capa ao lado do meu próprio rosto.

– Vê alguma semelhança? Diferente da minha mãe, tenho poros... – Já estou caindo no sono, apagando. Triste, sei aonde essa conversa vai dar.

O motorista diz:

– Também escrevo para cinema.

Sim, claro que sabia que aquilo estava por vir no momento em que vi o carro. Todo motorista se chama George e todo motorista da Califórnia tem um roteiro pronto para entregar a você, e desde que tenho quatro anos de idade – quando voltei para casa, depois de comemorar o Halloween, com meu saco de balas cheio de pretensos roteiros – fui treinada para lidar com essa situação desconfortável. Como meu pai diria: "Não estamos pegando novos projetos no momento...". Traduzindo: "Leve seu roteirinho para outro babaca financiar". Mas, apesar de uma infância de árduo treinamento em como dispensar gentil e educadamente as esperanças e os sonhos de ansiosos jovens talentos moderados... talvez apenas porque esteja exausta... talvez porque perceba que a pós-vida eterna vai parecer ainda mais longa sem a distração de material de baixa qualidade... digo:

– Claro. Me dê uma cópia e eu dou uma lida.

Mesmo caindo de sono, minhas mãos ainda agarram a *Vanity Fair* com o rosto da minha mãe na capa; sinto que a frente do carro não está mais subindo ao céu, e sim reta, como se tivéssemos chegado ao topo de uma montanha. Devagar, passamos a nos inclinar para baixo num lento e perigoso mergulho.

Do espelho retrovisor, ainda com seu sorrisinho malicioso, o motorista diz:

– Seria melhor se apertasse o cinto, senhorita Spencer. – Dito isso, solto minha revista e ela cai pelo buraco da divisão, ficando presa contra o interior do vidro. – Mais uma coisa – ele continua. – Quando chegarmos ao destino, não toque nas barras da cela. São bem sujinhas.

O carro afunda, cai, mergulha incrivelmente rápido numa queda livre acelerada, e eu, com rapidez, aperto o cinto.

XXVII

Está aí, Satã? Sou eu, Madison. Pela sua natureza, histórias contadas na segunda pessoa podem sugerir rezas. "Santificado seja o vosso nome... o Senhor esteja convosco..." Com isso em mente, por favor, não fique com a ideia de que estou rezando para você. Não é nada pessoal, mas simplesmente não sou uma satanista. Nem sou uma humanista secular, apesar dos esforços dos meus pais. Na busca de me encontrar no pós-vida, nem sou mais uma ateia confiante nem agnóstica. No momento, não estou certa de no que acredito. Estou longe de prometer minha fé para qualquer sistema de crenças quando, nesse ponto, pareceria que eu estava errada sobre tudo o que eu sentia ser real.
Na verdade, nem mesmo estou certa de quem sou.

Meu pai lhe diria: "Se você não sabe o que vem em seguida, dê uma boa olhada no que veio antes". Traduzindo: se você deixar, seu passado ditará seu futuro. Quer dizer: é hora de eu refazer meus passos. Com isso em mente, abandono meu trabalho na central de telemarketing e saio a pé, carregando meus novos sapatinhos de salto, usando minhas confiáveis alpargatas duráveis. Nuvens de moscas negras pairam, zumbindo, densas e negras como fumaça. O Mar de Insetos continua a ferver num movimento eterno, rangendo no caos, sua superfície tremulante, iridescente se estendendo ao horizonte. Os montes pinicantes de restos de unhas da mão e do pé continuam a crescer e deslizar em avalanches ásperas. O deserto de cacos de vidro estala sob os pés. O nojento Grande Oceano de Esperma Desperdiçado continua a se estender, engolindo a paisagem do Inferno ao seu redor.

E sim, eu me vejo como uma garota de treze anos morta obtendo mais conhecimento sobre sua própria confiança, mas o que eu queria mesmo ser era uma órfã do bloco oriental abandonada e sozinha, miseravelmente ignorada, sem possibilidade de salvação até me tornar indiferente a minhas próprias circunstâncias horrendas e minha infelicidade. Ou, como minha mãe diria: "Blá-blá-blá... *Cale a boca, Madison*".

O que quero dizer é: construí toda minha identidade baseada em ser esperta. As outras meninas, principalmente as periguetes, escolhem ser bonitas; é uma decisão fácil quando você é jovem. Como minha mãe diria: "Todo jardim fica bonito em maio". Traduzindo: todo mundo é de alguma forma atraente quando é jovem. Entre as jovens, é uma escolha automática competir no nível de atração física. Outras meninas, aquelas condenadas por narigões ou pele detonada, decidem ser loucamente divertidas. Outras ficam atléticas ou anoréxicas ou hipocondríacas. Muitas meninas escolhem o amargo, solitário caminho de uma vida em ser a Irritadinha de Magalhães, armada com sua raiva de língua afiada. Outra escolha de vida é se tornar a violenta e engajada estudante política. Ou possivelmente se inventar como a eterna poeta morosa, derramada sobre seu verso privado, canalizando a temida *Weltschmerz* de Sylvia Plath e Virginia Woolf. Mas, apesar de tantas opções, escolhi ser esperta – a garota gorda e inteligente que possui o cérebro brilhante, a estudante que só tira A, que usa sapatos sensatos duráveis e abstém-se do voleibol, manicures e risadinhas.

É o bastante dizer que, até recentemente, sentia-me bem satisfeita e bem-sucedida com minha própria invenção. Cada um de nós escolhe nossa rota pessoal – ser esportiva ou irritada ou esperta – com a confiança de uma vida que se pode possuir quando é criança pequena.

Entretanto, à luz da verdade: não morri de overdose de maconha... nem Goran se revelou como meu ideal romântico... meus planos não trouxeram nada além de dores de cabeça para minha família... Portanto, daria para perceber que não sou lá tão esperta. E, com isso, todo o meu conceito sobre mim mesma é indeterminado.

Mesmo agora, eu hesito em usar palavras como *abster* e *propagar* e *Weltschmerz* por minha fé em mim mesma estar tão profundamente abalada. A verdadeira natureza da minha morte me revela como uma idiota, não mais uma Coisinha Brilhante, mas uma ilusória e pretensiosa *poseur*. Nada brilhante, só uma impostora que moldou minha própria realidade ilusória com um punhado de palavras de efeito. Esses suportes de vocabulário servem como minha sombra nos olhos, meu implante de seio, minha coordenação física, minha confiança. As palavras *erudita* e *insidiosa* e *obscurecer* servem como minhas muletas.

Talvez seja melhor reconhecer esse nível de falácia pessoal enquanto ainda se é jovem, melhor do que perder a noção fixa de si mesma na meia-idade, quando beleza e juventude vão embora, ou força e agilidade falham. Pode ser pior prender-se ao sarcasmo e desprezo até alguém se encontrar isolado e odiado por quem o cerca. Mesmo assim, essa forma extrema de correção de curso psicológico ainda parece... devastadora.

Com essa crise totalmente percebida, eu refaço minha rota, voltando para a cela aonde cheguei inicialmente no Inferno. Meus braços girando, o anel de diamante que Archer me deu brilha pesado e roubado. Não posso mais me apresentar como uma autoridade em estar morta, portanto me retiro para minha cela de barras sujas, o conforto trazido dentro de um cadeado e ferrugem de sujeira raspada pela ponta do alfinete de segurança de um roqueirinho punk morto. Condenados dentro de suas próprias celas, meus vizinhos se jogam ao chão, agarrando suas cabeças entre suas mãos, há tanto tempo congelados e catatônicos em atitudes de autopiedade que teias de aranhas os envolvem. Ou eles caminham de um lado para o outro, socando o ar e falando sozinhos.

Não, não é tarde demais para me dedicar a ser engraçada ou artística, exercitando energicamente meu corpo em esteiras de ginástica ou pintando obras-primas sem humor; entretanto, tendo falhado na minha estratégia inicial, jamais terei fé novamente numa única identidade. Se eu canalizar meu futuro em ser a garota esportiva ou chapada, a capa sorridente numa caixa de cereais, ou uma autora bebedora de absinto, essa nova *persona* sempre vai se sentir tão falsa e fabricada como unhas de plástico ou uma tatuagem de raspar na pele. Pelo resto da minha vida eterna vou me sentir tão falsificada quanto os Manolo Blahniks de Babette.

Por perto, almas alheias se esparramam dentro de suas jaulas, tão mergulhadas em seu choque e resignação que deixam de espantar as moscas que rastejam por seus braços sujos. Essas moscas passeiam livremente por suas bochechas sujas e testa. Moscas pretas, gordas como uvas passas, caminham pela superfície dos olhos vidrados das pessoas. Sem serem notadas, entram em bocas bem abertas, então emergem de narinas.

Atrás das próprias barras de prisão, outras almas condenadas arrancam seus cabelos. Almas raivosas, elas rasgam e destroem suas próprias togas e vestimentas, rasgando seus roupões, suas mortalhas, vestidos de seda e ternos de tweed Savile Row. Alguns deles, senadores romanos e xoguns japoneses, mortos e condenados ao Inferno muito antes de eu ter nascido. Esses atormentados berram. Os acessos de loucura nublam o ar fétido. Suores escorrem em rios por testas e bochechas, brilhando em tons de laranja na luz infernal do fogo. Os cidadãos do Hades, eles se debatem e se escondem, sacodem os punhos para o céu em chamas, batem suas cabeças nas barras de ferro até que o próprio sangue os cega. Outros enfiam as mãos no próprio rosto, deixando a pele em carne viva, arrancando os próprios olhos. Suas vozes partidas, roucas, aos prantos. Em celas adjacentes... em jaulas além de jaulas... presos, estendem-se ao horizonte queimando em todas as direções. Incontáveis bilhões de homens e mulheres se queixam, em desespero, gritando seus nomes e status como reis ou pagadores de impostos ou minorias perseguidas ou devidos donos de propriedades. Nisso, a cacofonia do Inferno, a história da humanidade fratura em protestos individuais. Eles exigem seus direitos de nascença. Insistem em sua inocência íntegra como cristãos ou muçulmanos ou judeus. Como filantropos ou médicos. Benfeitores ou mártires ou astros de cinema ou ativistas políticos.

No Inferno, são nossas ligações com uma identidade fixa que nos torturam.

Ao longe, seguindo a mesma rota da qual eu retornei tão recentemente, uma faísca de um azul vivo flutua. O ponto azul, vívido contra as chamas laranjas e vermelhas contrastantes do fogo, o nimbus azul balança por lá, passando entre jaulas distantes e seus ocupantes histéricos. A mancha azul passa pelos presidentes mortos que rangem os dentes, ignora os imperadores esquecidos e soberanos. Esse ponto azul desaparece atrás de montes de jaulas enferrujadas, atrás de multidões de antigos papas lunáticos, obscurecido atrás de colmeias de ferro de xamãs aprisionados, depostos, em soluços, e autoridades e exilados e furiosos homens de tribos, apenas para parecer um pouco mais azul, um pouco maior, mais próximo, um momento depois. Dessa maneira, o objeto azul vivo voa em zigue-zague, aproximando-se, navegando no labirinto de desespero e frustração. O azul vivo, perdido em nuvens de moscas. O azul, coberto por bolsões ocasionais de fumaça escura e densa. Ainda assim, ele emerge, maior, mais próximo, até que o azul se torna um cabelo, um penteado moicano tingido de azul sobre uma cabeça raspada. A cabeça balança, empoleirada sobre ombros de uma jaqueta de couro preta de motoqueiro, sustentada por duas pernas vestidas de jeans e dois pés metidos em botas pretas. A cada passo, as botas chacoalham uma corrente de bicicleta que está presa ao seu calcanhar. O garoto punk, Archer, se aproxima da minha cela.

Enfiado embaixo de um braço metido em couro, Archer carrega um envelope marrom. Suas mãos estão enfiadas na frente dos bolsos dos jeans, com o envelope preso entre seu cotovelo e sua cintura, Archer levanta o queixo com covinha na minha direção e diz:

– Ei. – Lança um olhar para as pessoas que nos cercam, afundadas em seus vícios e orgulhos e luxúrias. Cada pessoa separada, isolada de qualquer futuro, qualquer nova possibilidade, retirada e isolada dentro da casca de sua vida passada. Archer balança a cabeça e diz: – Não seja como esses fracassados...

Ele não entende. A verdade é que sou pré-pubescente, morta e incrivelmente ingênua e idiota – e estou restrita ao Inferno, para sempre.

Ele olha direto para o meu rosto.

– Seus olhos estão vermelhos... sua psoríase está piorando?

E sou uma mentirosa. Respondo:

– Não tenho psoríase de verdade.

Archer fala:

– Andou chorando?

E sou tão mentirosa que respondo:

– Não.

Não que ser condenada seja totalmente culpa minha. Na minha defesa, meu pai sempre me disse que o Diabo eram fraldas descartáveis.

– A morte é um longo processo – Archer esclarece. – Seu corpo é só a primeira parte sua que se vai.

Traduzindo: além dele, seus sonhos têm de morrer. Depois suas expectativas. E sua raiva em investir a vida toda em aprender merda e amar pessoas e juntar dinheiro, só para toda essa merda acabar em praticamente nada. Sério, seu corpo físico morrer é a parte fácil. Além disso, suas lembranças têm de morrer. E seu ego. Seu orgulho e vergonha e ambições e esperança, toda essa Merda de Identidade Pessoal pode levar séculos para expirar.

— Tudo o que as pessoas veem é como o corpo morre — explica Archer. — Aquela Helen Gurley Brown só estudou os *primeiros* sete estágios de chutar o balde.

Pergunto:

— Helen Gurley Brown?

— Você sabe: negação, barganha, raiva, depressão...

Ele quis dizer Elisabeth Kübler-Ross.

— Viu — Archer diz, e sorri. — Você é esperta... mais esperta do que eu.

A verdade, Archer me conta, é que você fica no Inferno até que perdoe a si mesmo.

— Você ferrou com as coisas. Fim de jogo. Portanto, apenas relaxe.

A boa-nova é que eu não sou uma personagem fictícia presa num livro, como Jane Eyre ou Oliver Twist; para mim, qualquer coisa é possível agora. Posso me tornar outra pessoa, não por pressão ou desespero, mas simplesmente porque uma nova vida soa divertida, interessante ou gostosa.

Archer dá de ombros e diz:

— A pequena Maddy Spencer está morta... Agora talvez seja hora de *você* seguir com a aventura de sua existência. — Enquanto ele dá de ombros, o envelope desliza de baixo do braço dele e escorrega para o chão de pedra. O envelope de papel pardo. O papel tem um carimbo de CONFIDENCIAL em letras vermelhas blocadas.

Pergunto:

– O que é isso?

Inclinando-se para pegar de volta o envelope caído, Archer diz:

– Isto? Aqui estão os resultados do teste de salvação que você fez.

Há uma lua crescente de sujeira embaixo das unhas dele. Espalhadas por seu rosto, uma galáxia de sardas brilham em diferentes tons de vermelho.

Por "teste de salvação" Archer se refere ao estranho teste do polígrafo, o troço do detector de mentiras onde o demônio perguntava minha opinião sobre aborto e casamento entre pessoas do mesmo sexo. Traduzindo: a determinação de se eu deveria estar no Céu ou no Inferno, possivelmente até minha permissão de voltar à vida na Terra. Buscando espontânea e compulsivamente pelo envelope, peço:

– Me dá.

O anel de diamante, aquele que Archer roubou e deu para mim, brilha no dedo da minha mão esticada.

Segurando o envelope fora das barras da cela, além do meu alcance, Archer diz:

– Você tem de prometer que vai parar de fazer birra.

Esticando meu braço em direção ao envelope, cuidadosamente evitando contato com as barras de metal imundas da minha cela, eu insisto que não estou fazendo birra.

Pendurando os resultados do teste perto dos meus dedos, Archer diz:

– Está com uma mosca na cara.

E eu a abano para longe. E prometo.

– Bem – diz Archer – é um bom começo. – Usando uma mão, Archer abre o alfinetão de segurança e o retira da bochecha. Como fizera antes, enfia a ponta afiada na fechadura antiga da porta da minha cela e começa a cutucar.

No momento em que a porta se abre, eu saio, arrancando o resultado do teste da mão dele. Minha promessa ainda fresca nos lábios, ainda ecoando em meus ouvidos. Abro o envelope rasgando-o.

E o vencedor é...

XXVIII

*Está aí, Satã? Sou eu, Madison. Por favor, considere aperfeiçoar
o famoso slogan já sinônimo da entrada no Inferno.
Melhor do que "Abandone toda a esperança ao entrar aqui..."
parece bem mais aplicável e útil "Abandone todo o tato...",
ou talvez "Abandone toda a cortesia habitual...".*

Se você perguntasse à minha mãe, ela diria: "Maddy, a vida não é um torneio de popularidade".

Bem, em réplica, eu lhe responderia que a morte também não.

Aqueles de vocês que ainda vão morrer, por favor, reparem bem. De acordo com Archer, pessoas mortas estão constantemente enviando mensagens aos vivos – e não apenas abrindo cortinas ou interferindo na iluminação do ambiente. Por exemplo, toda vez que seu estômago ronca, isso é causado por alguém do Além que tenta se comunicar com você. Ou, quando você sente uma vontade repentina de comer algo doce, é outra forma que os mortos têm de estar em contato. Outro exemplo comum é espirrar várias vezes em rápida sucessão. Ou quando seu couro cabeludo coça. Ou quando acorda sobressaltado de noite com uma câimbra forte na perna. Lábios ressecados do frio... perna pulando, incansável... pelos encravados.... de acordo com Archer, são todos métodos que os mortos usam para atrair sua atenção, talvez para poder expressar afeto ou alertá-lo sobre um perigo iminente.

Com bastante seriedade, Archer alega que se você, como uma pessoa vivinha da silva, ouvir a música "You're the One That I Want", do filme *Grease – nos tempos da brilhantina*, três vezes num único dia – seja por acidente, num elevador, no rádio, numa espera telefônica ou seja lá como –, isso é um indicativo de que vai morrer antes de o sol se pôr. Por outro lado, o odor-fantasma de torrada queimada quer dizer apenas que um ente querido morto continua a cuidar de você e a protegê-lo do perigo.

Quando fios rebeldes brotam de suas orelhas, narinas ou sobrancelhas, são os mortos tentando fazer contato. Mesmo antes que legiões de mortos telefonassem aos vivos durante a hora do jantar e fizessem apurações sobre preferências de consumo em relação a marcas de creme não derivado de leite; antes de os mortos gerarem conteúdo lascivo de internet, as almas dos que se foram sempre estiveram em contato constante com o mundo dos vivos.

Archer explica isso tudo para mim enquanto passamos pelas Grandes Planícies de Cacos de Vidro, circundando o Rio de Vômito Fervente, cruzando o vasto Vale das Fraldas Descartáveis Usadas. Parando um momento sobre um morro fedido, ele aponta uma mancha negra no horizonte. Um voo baixo de urubus, abutres e aves carniceiras paira sobre a paisagem negra ao longe.

– O Pântano de Abortos dos Semiformados – diz Archer, apontando com o moicano azul em direção aos pântanos funestos. Respiramos fundo e seguimos, passando por tais horrores, e continuamos a seguir rumo aos quartéis-generais do Inferno.

Archer afirma que eu deveria deixar de ser simpática. Aposta que em minha vida toda meus pais e professores me ensinaram a ser agradável e amistosa. Sem dúvida eu era constantemente recompensada por ser positiva e animada.

Caminhando com dificuldade sob o céu alaranjado em chamas, Archer diz:

– Claro, os fracos devem herdar a Terra, mas eles não recebem porra nenhuma no Inferno...

Ele fala que, como passei a vida toda sendo legal, talvez devesse considerar algum comportamento alternativo para minha vida pós-morte. Por mais irônico que pareça, Archer diz que ninguém que é legal consegue exercitar o tipo de liberdade que um assassino condenado vive na prisão. Se uma menina outrora bacana quer mudar de vida, talvez experimentar ser valentona ou uma vagabunda, ser mimada ou apenas ter opinião e não sorrir a todo momento como se estivesse num comercial de creme dental, escutando tudo educadamente, bem, o Inferno é o lugar para arriscar esse comportamento.

Archer acabou condenado por toda a eternidade assim: um dia, sua velha o mandou afanar pão e fraldas de uma loja. Não sua velha esposa; a mãe mesmo; ela precisava de fraldas para a irmãzinha dele, só que não tinham como pagar, então Archer perambulou pelo mercado da rua até achar que ninguém estava olhando.

Enquanto caminhamos juntos, passando pelos flocos de pele morta ressecada do Deserto da Caspa, aproximamo-nos de um grupo de almas condenadas. Estão num grupo mais ou menos do tamanho de um coquetel no *lounge* VIP de uma boate de luxo em Barcelona, com cada pessoa voltada para o centro do grupo. Ali, destacado no centro do grupo, um homem agita as mãos no ar. Ele grita com a voz abafada em meio ao povo.

No canto, Archer abaixa a cabeça perto da minha e cochicha:

– Está aí sua chance de praticar.

Visto entre as figuras que escutam, filtrado entre as formas, entre braços sujos e cabeças de cabelos desgrenhados, não há erro sobre qual é o centro das atenções: um homem com ombros estreitos, o cabelo escuro penteado para que caia sobre a testa pálida. Ele golpeia o ar fétido com as duas mãos, gesticulando como um louco, debatendo-se enquanto grita em alemão. Encimando o lábio superior há um bigode castanho quadrado não maior que as narinas dilatadas. O público escuta com fixa expressão catatônica.

Archer me pergunta:

– Qual é a pior coisa que pode acontecer?

Ele diz que tenho de aprender a impor meu peso. Diz para eu abrir espaço acotovelando a multidão até chegar à frente. Quer que eu empurre aquele povo para fora do caminho. Devo bancar a valentona. Ele dá de ombros, fazendo ranger as mangas de couro preto da jaqueta.

– Você escolhe... – Com isso, Archer coloca uma das mãos nas minhas costas e me lança à frente.

Cambaleio, acertando a multidão, batendo contra a manga dos casacos, pisando nos sapatos marrons engraxados. Sinceramente, todo mundo ali usa o mesmo tipo de roupa sensata que cai bem no Inferno: roupas impermeáveis verde-escuras e de flanela cinza, sapatos de solas grossas e botas de couro, chapéus de tweed. O único acessório de moda mal escolhido é uma abundância de tarjas vermelhas com suásticas pretas presas nos bíceps das pessoas.

Archer dá uma olhada no palestrante. Ainda cochichando, fala para mim:

– Garotinha, se você não puder ser rude com Hitler...

Ele me incita a começar uma briga; meter o pé na bunda do nazista.

Balanço a cabeça: não. Meu rosto cora. Depois de uma vida toda treinada para nunca interromper, não poderia. Não posso. Meu rosto fica quente; sinto-me mais vermelha que as sardas de Archer. Tão vermelha quanto as tarjas com suásticas.

– O quê? – Archer cochicha, a boca numa careta torta, a pele comprimida ao redor do alfinete de segurança de aço inoxidável que fura a bochecha. Ele me provoca: – Que foi? Está com medo de que *Herr* Hitler possa não *gostar* de você?

Dentro de mim, uma vozinha pergunta: Qual é a pior coisa que pode acontecer? Eu vivi. Sofri. Morri – o pior destino que qualquer mortal pode imaginar. Estou morta, e ainda assim algo de mim continua a sobreviver. Sou eterna. Por bem ou por mal. São as obsequiosas garotinhas boazinhas como eu que permitem que cuzões dominem o mundo: vagabas de marca maior, bilionárias cafonas que abraçam árvores, hipócritas viciadas em drogas, ativistas pacifistas fumadoras de erva que financiam cartéis de drogas, que matam em massa e perpetuam a pobreza esmagadora em repúblicas de bananas pobretonas. É meu medo mesquinho de rejeição pessoal que permite a existência de tantos males. Minha covardia possibilita atrocidades. Exercendo força, afasto a mão de Archer, que me empurra. Abro caminho entre as mangas dos casacos de lã, acotovelando-me entre suásticas, abrindo espaço e nadando pelo caminho rumo ao centro do mundo. Em cada passo, estou ativamente pisando em pés de estranhos, infiltrando-me, embrenhando-me na massa apertada de condenados, até irromper à frente da multidão. Tropeçando na primeira fileira de pés, cambaleio, sucumbindo ao próprio esforço, apenas para aterrissar com mãos e joelhos de cara na caspa solta, meus olhos no nível de duas botas pretas engraxadas. Refletido no couro encerado de búfalo, vejo a mim mesma em close: uma garota gorducha vestida num suéter e bermuda-saia de tweed, com um relógio delicado preso num pulso gorducho, o rosto de olhos esbugalhados, corada de vergonha. Sobre mim, Adolf Hitler paira com as mãos entrelaçadas às costas. Balançando nos calcanhares da bota, olha para baixo e ri. Meus óculos caíram do nariz e estão semienterrados na pele morta; sem eles, o mundo parece distorcido. Tudo se torna um borrão, uma massa sólida que me prende; desfocados, os rostos estão manchados e esmaecidos. A cabeça dele se projeta para trás, monstruosamente acima de mim; Hitler aponta o bigodinho minúsculo para o céu flamejante e ruge com uma risada.

Ao redor de nós, de Hitler e de mim, o povo segue a deixa dele até que eu seja soterrada por risadas. A presença deles é tão marcante ao redor que Archer e o moicano azul se perdem, emparedado atrás de tantos corpos mortos.

Ficando de pé, espano os flocos soltos de caspa grudenta das roupas. Abro a boca para mandar todo mundo ficar quieto, por favor. Com minhas mãos varrendo a camada de derme oleosa de caspa, busco meus óculos. Mesmo cega, imploro silêncio para poder ridicularizar o líder, mas o povo simplesmente grita com uma alegria sádica, os rostos borrados reduzidos a bocas abertas e dentes.

Talvez seja devido a alguma reação de estresse pós-traumático, mas naquele instante sou transportada para a tarde do colégio interno suíço quando o trio de vagabas se revezou, sufocando-me até a morte, fazendo caretas com meus óculos e me ridicularizando antes de me trazer de volta à vida. Sinto uma mão descer para tocar meu braço, uma mão grande, áspera, fria como uma mesa de necrotério; os dedos nodosos pegam meu cotovelo e o apertam tanto quanto a tarja de suástica nos bíceps; algo me põe de pé. Talvez seja devido a alguma memória suprimida de algum coveiro tarado me tocando, o fedor de formol e a colônia masculina, mas me esquivo. Todo o meu peso de treze anos de idade pende para trás, empurrando o punho e o braço magrelo para a frente num arco veloz, um giro de cata-vento que se conecta a algo sólido. Este... algo... estala com o impacto dos meus dedos. De novo, caio no carpete macio de flocos de caspa, só que desta vez algo pesado aterrissa na pele morta a meu lado.

A risada da multidão silencia. Minhas mãos desenterram os óculos. Mesmo através das lentes sujas, nubladas com flocos mortos de couro cabeludo, posso ver Adolf Hitler caído a meu lado. Ele geme com suavidade, a bolha vermelha de um ferimento já se formando ao redor de um dos olhos, que está fechado.

O anel, aquele anel de diamante que Archer roubou de uma alma humilhada, lamuriante, presa numa jaula perto da minha própria cela imunda, esse anel no meu dedinho colidira com o rosto de Hitler. Como um soco-inglês polpudo de 75 quilates, o diamante gordo o acertara. Meu punho vibra. Meu pulso martela como um diapasão de garfo, então balanço os dedos para recuperar a total sensibilidade naquela mão.

Uma voz de homem grita, a voz de Archer, por trás da muralha de observadores chocados:

– Pegue um suvenir!

Como Archer explicaria mais tarde, todos os grandes valentões pegam totens ou objetos-fetiche para roubar o poder de inimigos que sobrepujaram. Alguns guerreiros pegam escalpos que podem exibir nos cintos. Outros colecionam orelhas, genitais, narizes. Archer insiste que levar um suvenir sempre foi crucial para assumir o poder do inimigo.

Lá fico eu com Hitler esparramado a meus pés. Para ser sincera, não queria de jeito nenhum as botas dele. Nem tinha o menor desejo de pegar a gravata ou aquela tarja estúpida. O cinto? A arma? Alguma joiazinha nazista, uma plaquinha de águia ou crânio? Não, o bom gosto parece obstar pegar qualquer porção aparente de seu uniforme.

E, sim, posso ter sido outrora a garota boazinha sem escrúpulos ao usar as palavras *obstar* e *escrúpulos*, e não hesitar em derrubar um tirano fascista, mas continuo a ser muito fiel em relação à maneira como escolho acessórios para meu guarda-roupa bem básico.

Do canto da multidão, a voz de Archer grita:

– Não seja imbecil! Pegue o maldito bigode!

Claro, é o único talismã que carrega toda a identidade desse maluco. Seu bigode – um minúsculo escalpo a ser pendurado no meu cinto – representa algo sem o qual Hitler jamais poderia voltar a ser Hitler. Enfiando o calcanhar da minha prática alpargata firmemente em seu pescoço, inclino-me e entrelaço meus dedos naquela franja áspera, que mais parecem pelos púbicos sobre lábios. A respiração dele está quente e úmida contra minhas mãos. Quando me preparo para um grande puxão, uma fisgada hercúlea, os cílios de Hitler batem e seus olhos me atravessam com raiva concentrada. Enfiando meu pé em sua garganta, puxo, tirando os pelinhos curtos com toda minha força – e Hitler grita.

A multidão estremece, recuando um passo.

Mais uma vez, tombo para trás, os braços girando, mas ainda segurando meu troféu.

Adolf Hitler segura o rosto com as duas mãos; sangue escorre entre seus dedos; seus berros parecem confusos e entrecortados. Escorre sangue pela manga do uniforme, e a deixa tão encharcada que o vermelho vivo embota a tola suástica presa em seu braço.

Na palma da minha mão se enrola o bigodinho morno, arrancado, ainda preso a uma pálida e fina porção de lábio superior.

XXIX

Está aí, Satã? Sou eu, Madison. Meu gosto por poder continua a crescer, assim como minha habilidade em deixá-lo florescer.

O anel de diamante, segundo Archer explicou, veio de Elizabeth Bathory, uma condessa húngara que morreu e está aprisionada em sua própria jaula infernal suja desde 1614. Sempre uma boneca, a Condessa Bathory certa vez açoitou uma criada, que sangrou pelo ataque, e onde o sangue acidentalmente espirrou na condessa, aparentemente sua pele real rejuvenesceu. Baseada nessa evidência claramente anedótica, Elizabeth Bathory pirou com esse novo ritual de cuidado com a pele, imediatamente contratando e ensanguentando cerca de seiscentas criadas num piscar de olhos, para que pudesse se banhar no sangue quente de modo contínuo. Hoje em dia, a condessa está horrível; fica sentada soluçando em coma, frustração e negação, incapaz de deixar de ser uma quenga sanguinária.

Armada com o anel da vampira Elizabeth, eu pude facilmente nocautear Adolf Hitler. E agora, armada com seu bigodinho fascista, bani o super-homem nazista. Claro, uma vez que alguém é sentenciado ao Inferno, torna-se quase impossível se livrar ainda mais dele. Minha solução era mandá-lo para algum lugar onde eu mesma nunca planejei me aventurar. Minha escolha inicial foi o Mar de Insetos; entretanto, com consideração adicional, revisei minha escolha para o Pântano de Abortos dos Semiformados. Lá, no inferno do Inferno, aquela paisagem pantanosa de pesadelos onde crianças cozidas em fogo brando borbulham embaixo de uma enorme tela de cinema, um outdoor inescapável, no qual *O paciente inglês* passa sem parar em tecnicolor, é onde *Herr* Hitler reside, sem bigode nem identidade.

Privados de seu demagogo, os paus-mandados sem cérebro de Hitler inevitavelmente acabaram seguindo a Archer e a mim, atravessando o Deserto de Caspa enquanto continuamos nossa jornada. Claro, eu pedi que eles tirassem suas tarjas de mau gosto, e para sublinhar minhas exigências mostrei o bigodinho profano.

Não havíamos passado o Lago da Bile Tépida – Archer, eu e nosso bando de bajuladores recém-encontrados –, quando nos deparamos com uma mulher majestosa sendo cortejada por uma comitiva de pessoas fazendo reverência. Um grande monte traficado de Almond Joys servia como trono para ela, e os membros de sua corte formavam círculos concêntricos cercando a barra do vestido brocado e bordado. A mulher, ainda que louca com uma histeria de fazer revirar os olhos, usava uma grinalda ou um diadema de pérolas sobre o ninho de seu cabelo elaboradamente trançado. E enquanto sua corte prostrava-se aos seus pés, o sorriso lânguido dela caiu sobre Archer e mim e prontamente se desvaneceu.

Quando nosso grupo de viajantes se aproximou da nossa nova visão, Archer se inclinou perto da minha orelha. Com sua camiseta de show do Ramones pungente com o fedor de sua transpiração, ele cochichou:

– Catarina de Médici...

Se você pedisse conselho ao meu pai, ele lhe diria: "O segredo de ser um comediante bem-sucedido é nunca parar de falar até você ouvir alguém rir". Traduzindo: persevere. Seja determinado. Faça apenas uma pessoa rir; então transforme essa pessoa e essa piada em mais risadas. Quando algumas pessoas decidirem que você é engraçado, um número maior de pessoas vai começar a acreditar.

Com o pequeno bigode de Hitler secretamente seguro dentro do bolso da minha bermuda-saia, escutei a explicação de Archer.

– Ela é rainha de algum lugar por aí – Archer cochicha.

Da França Renascentista, eu respondo. A consorte e rainha de Henrique II morreu em 1589. Provavelmente foi condenada para o fogo do Inferno eterno por instigar o Dia do Massacre de São Bartolomeu, no qual as massas parisienses chacinaram trinta mil huguenotes franceses. Quando chegamos mais perto, os olhos da rainha se fixam em mim, talvez sentindo meu novo poder e meu desejo crescente por mais. Da mesma maneira que Hitler fora preso na *persona* de um metidão ranzinza e a Condessa Bathory ficou fixada em ter uma beleza jovem permanente, Catarina de Médici parece bem presa a sua soberba nobreza de nascença.

Parando, Archer me deixa continuar em frente, com cada passo diminuindo a distância entre mim e meu novo adversário. De trás de mim, a uma distância segura, Archer diz:

– Vá nessa, Madison, chute o delicioso traseiro real dela...

Assumo que meu ataque pode ter parecido de certa forma bem juvenil, consistindo em correr a toda até o objeto de ataque, gritando uma litania de palavrões de playground como: "Prepare-se para morrer, cara de bunda suja, você, sua rainhazinha ordinária, pamonha, nariz empinado, fedida...!", antes de empurrar Catarina de Médici do trono de barras de chocolate e cobri-la de chutes, arranhões, puxões de cabelo, cócegas selvagens e beliscões cruéis. Ainda assim, apesar de esse comportamento bárbaro de jardim da infância, eu consegui compelir a soberba de Médici a consumir uma bocada do solo depois de fazer com sucesso Vossa Alteza cair de cara no chão. Daí, só foi necessário o modesto peso do meu corpo dirigido até a ponta do cotovelo dobrado, enfiado nas omoplatas dela, para motivar a real Catarineza a repetir, sob coação:

– *Sì! Sì!* Sou uma pamonha piranha de Médici e uma otária, e tenho cheiro de xixi velho de gato...

Não preciso nem dizer que nem Catarina nem suas cortesãs parasitas puderam entender uma sílaba do que ela repetiu, mas seu discurso compulsório resultou bem cômico para Archer, que explodiu num autêntico vulcão de gargalhadas grosseiras.

Sim, agora é poder que eu quero. Não afeto. Não quero esse tipo de poder sem sentido como discutido anteriormente. Marque minhas palavras: estar morta não é só ficar sentada numa reflexão sem remorso e ficar amarga se autoincriminando. A morte, como a vida, é o que você faz dela.

Fortificada com o bigode de Hitler e o diamante Bathory, cuido rapidinho dessa invejosa homicida religiosa. Quando ela é mandada de mala e cuia para se juntar a Adolf no pântano lamacento, volto à minha jornada com Archer, a grinalda de pérolas agora equilibrada sobre minha cabeça, e a esfarrapada comitiva de damas e cavalheiros da Renascença cai entre minha crescente legião de seguidores. Perambulando atrás de nós, de Archer e de mim, nosso exército se incha com zumbis nazistas... além desses agregados de Médici... mais tarde, seguidores de campo de Calígula.

Você pode atribuir minha nova valentia a um tipo de efeito placebo, mas agora, carregando o bigode de um déspota gritalhão, minhas próprias palavras começam a soar mais eloquentes aos meus ouvidos. Cada declaração minha carrega a força e a autoridade de um discurso disparado por amplificadores para uma tropa de subordinados andando a passo de ganso, queimadores de livros carregando tochas. Para equilibrar a coroa de pérolas da rainha sádica orgulhosa, sou forçada a ficar mais alta, minha espinha, minha atitude, todo o meu porte alçado a um patamar mais nobre. Deixando de lado minhas sensatas alpargatas Bass Weejun, coloco meus pés nos saltos altos trazidos por Babette, aumentando ainda mais minha estatura.

Antes de chegarmos ao próximo horizonte, derroto outro inimigo – Vlad III, vulgo Vlad, o Empalador, príncipe da família Dracul, que morreu em 1476 depois de torturar cerca de cem mil pessoas até a morte –, um homem que formou a base de carne e osso para a lenda do Vampiro Drácula. Dele, obtive minha adaga cheia de joias, uma camarilha empoeirada de cavaleiros corruptos e um baú do tesouro transbordando de Charleston Chews.

Depois dele, utilizei a referida adaga para obter os testículos do corrupto imperador romano Calígula. E seu poderoso tesouro de Reese's Peanut Butter Cups.

Depois que continuamos a caminhar, sombreados por metade dos idiotas obedientes da história do mundo, eu pergunto a Archer:

– Então, você está no Inferno porque roubou pão de um mercado? Que coisa mais... Jean Valjean.

Archer apenas me encara.

– Que coisa mais... número 24601... – digo, abanando a mão num gesto galês floreado. – Que coisa mais... *Les Misérables*.

Em resposta, Archer diz:

– Tem mais nessa história que roubar pão.

Mais para a frente na nossa jornada, entramos no Matagal dos Membros Amputados, um emaranhado grotesco de braços cortados e pernas, mãos e pés entrelaçados, que filtra a brisa esfumaçada e fuliginosa.

O caminho está coberto de dedos decepados, todos perdidos e separados de seus devidos proprietários, todas as amputações do campo de batalha e restos de hospital que foram perfunctoriamente decepados e nunca chegaram a um túmulo apropriado. Além disso, as ubíquas e inúteis pipocas. Lá eu tomo posse do cinto do Rei Ethelred II, o monarca inglês responsável pelas mortes de 25 mil dinamarqueses no Dia do Massacre de São Brício. É nesse cinto que penduro os testículos cortados; a adaga preciosa; e o pequeno escalpo do bigode. Os espólios da minha campanha em curso para me provar fodona. Logo esses talismãs são somados ao *rumal*, ou lencinho, usado pelo líder de culto

Thug Behram para estrangular suas 931 vítimas. Esse cinto, tornando-se o bracelete de encantos medonhos, que proclama meu progresso de garota boazinha de colégio interno a princesa guerreira bem mal-educada e sem respeito ao decoro. Sou a anti-Jane Eyre. Quase sem perder o passo, derroto o infame Barba Azul, Gilles de Rais, acrescentando sua marca registrada – o cajado com o qual ele sufocou seiscentas crianças enquanto as sodomizava – aos grotescos troféus que se penduram e balançam na minha cintura. A cada nova vitória, uma nova tropa de tenentes vem perseguir minha sombra.

Ao longo da minha peregrinação de transformação, o envelope pardo contendo os resultados do meu teste de salvação do polígrafo, dobrado com cuidado, permanece enfiado no bolso da minha bermuda-saia. Raramente diminuímos o passo na rígida campanha pela paisagem incandescente, sob o céu em chamas alaranjadas.

– Depois que peguei o pão e as fraldas – Archer conta –, eu os levei para minha velha...

– Por favor, me diga que você *não* é um atirador de escola, como havia contado antes.

E Archer diz:

– Apenas escute, está bem?

Ele entregou o pão e as fraldas para sua mãe, só para descobrir que no nervosismo ele roubou exatamente o tipo errado de fralda. Em vez de pegar a marca com etiquetas plásticas adesivas para segurá-las no lugar, Archer levou para casa um produto mais barato que precisava de alfinetes de segurança. Para compensar, ele ofereceu os alfinetes que normalmente usava perfurando bochechas e mamilos. Era um desses acessórios punks mal esterilizados que, sem dúvida, espetou sua irmãzinha. A frágil criança ficou doente de uma infecção e morreu, quase de um dia para o outro.

Sentindo o desconforto de sua confissão, deliberadamente não procurei fazer contato visual. Ao contrário, continuei a marchar ao lado de Archer, com nosso exército seguindo junto no nosso encalço. Dirigindo meus olhos bem à frente, sentia a batida e as sacudidelas de talismãs, fetiches, objetos de poder balançando da minha cintura e colidindo com meus quadris a passos largos. Fiquei bem retinha, equilibrando o peso da minha nova coroa de pérolas. Mantendo o tom de minha voz indiferente, sem constrangimento, perguntei se era esse o motivo de ele ter sido eternamente condenado... por ele ter matado sua irmãzinha bebê.

– Foi uma merda a forma como ela morreu – diz Archer, mantendo o passo ao meu lado. – Mas tem mais aí...

É com nosso próximo passo que torres, chaminés e muradas dos quartéis-generais do Inferno surgem inicialmente ao longe no horizonte. Em nosso encalço, os números do exército em marcha, os mais vis transgressores, marginais e criminosos da história humana, o número de nossa legião cresceu para se tornar quase infinito. O passo combinado de nossos pés marchando balança o solo, esmagando caramelos descartados. Desfilamos, em grande cerimônia, meus lacaios abrindo espaço à frente para cobrir nosso caminho com um cheiroso carpete de Red Hots, Skittles, M&M's de amendoim e bolas de chiclete. Nossos espólios de Boston Baked Beans e Jolly Rangers quase nem podem ser contados.

A jovem que faleceu no brilho de uma televisão de hotel... ela não é a mesma jovem que agora se apresenta diante dos portões do Inferno. Aníbal deveria ter apresentado uma visão tão temível. As hordas de Genghis Khan pareceriam nada comparadas com as minhas. Os espartanos. As legiões dos Césares. Os exércitos dos faraós. Ninguém poderia esperar sobreviver a uma batalha com esses meus vilões de olhos vazios, seus cutelos e cimitarras corroídos batendo contra o céu sujo.

Contemplem: meu nome é Madison Spencer, filha de Antonio e Camille Spencer, cidadã do Inferno, e meu exército é tão numeroso quanto as estrelas. Assim como minha fortuna de doces. Ordeno que todos os demônios e diabos do Hades abram imediatamente sua fortaleza massiva para mim.

XXX

Está aí, Satã? Sou eu, Madison. Esteja aí ou não, não importa muito... porque eu estou aqui. A filha pródiga. A pequena Maddy Spencer voltou a casa para pernoitar.

Quando nos aproximamos dos avantajados muros dos quartéis do submundo, os pesados portões do Inferno – vigas de carvalho enegrecidas com a idade e presas com ferro – já começam a fechar para bloquear nossa entrada. Estendidas ao horizonte em ambos os lados, essas muralhas decadentes se erguem sublimes como nuvens de tempestade, empinando-se como se se reforçassem contra nosso assalto. Negras contra o céu alaranjado. Aqui, as Grandes Planícies de Lâminas de Barbear Descartadas, um vasto continente queimado, pavimentado por quilômetros com toda lâmina enferrujada e sem fio jogada fora pela humanidade, esse campo resplandecente termina na base desses muros de pedra ominosos.

Um único demônio monta guarda enquanto os portões são fechados, chacoalhando de dentro com o flagrante raspar de barras deslizando nos lugares, correntes sendo enroladas e travadas, cadeados fechados. Esse demônio, com sua pele áspera com feridas infeccionadas, o couro vertendo pus e podridão, o focinho de um porco monstruoso domina seu rosto borrachento. Seus olhos são pedras negras pelos quais um tubarão assassino busca sua vítima fria e chorosa. Aqui se apresenta Baal, entidade deposta dos babilônios, recebedor de gerações de crianças sacrificadas como tributo. Tempestuoso com a voz desses milhões de gritos, o demônio dá suas ordens:

– Parem; não se aproximem mais! Dispersem seu exército ameaçador! E entreguem seu estoque delicioso de barras de Crunch da Nestlé!

Assim, bloqueando nosso caminho, esse demônio híbrido de porco, tubarão e pedófilo exige saber meu nome.

Como se nesse novo momento eu soubesse como me chamar.

Quem eu sou não é mais a garota rechonchuda que sorri cativantemente, bate os cílios e diz: "Por favor, com açúcar em cima". Minha voz fala com a raiva do bigode de Hitler. Minha cabeça se ergue por baixo do peso da coroa extravagante da De Médici. Meus quadris carnudos, rodeados com o cinto de um rei assassino, balançam e mostram os espólios da minha campanha. Minha cintura coberta com totens e talismãs prova que não sou apenas uma personagem num livro ou filme fixos. Não sou uma única narrativa. Como não são Rebecca de Winter nem Jane Eyre. Estou livre para revisar minha história, para reinventar a mim mesma, meu mundo, a qualquer momento. Avançando ao lado de Archer, sou resplandecente na minha selvagem demonstração de poder conquistado. A meu serviço avançam os vilões coletados de uma dúzia de tiranos, agora despachados ao esquecimento. Meus dedos, manchados de carmim com o sangue de déspotas, não são os dedos que passaram pelas vidas em papel de heroínas românticas perdidas. Não sou mais uma donzela passiva que espera que as circunstâncias decidam seu destino; agora eu me tornei a vigarista, a fanfarrona, a Heathcliff de meus sonhos inclinada a resgatar a mim mesma. Porque agora incorporo todos os traços que esperava tanto encontrar em Goran. Traduzindo: não sou mais limitada.

Sou a própria sedutora devassa. Sirvo como meu próprio casca-grossa brutal.

Conforme avançamos pelos portões do Inferno, não diminuindo nosso passo, aquela cadência de nossos bilhões de pés, Archer cochicha para mim:

– A maior arma que qualquer guerreiro pode carregar numa batalha é a certeza absoluta de sua alma eterna.

Nada de batidas molhadas e escorregadias do coração dentro do buraco úmido do meu peito. O sangue não segue por baixo da delicada pele dos meus membros. Neste ponto, não sou mais nada que possa ser morto.

Archer cochicha:

– Sua morte oferece a você uma oportunidade de ouro.

O demônio-porco Baal mostra suas presas, seu palato cheio dos fluidos rompidos e sangue de incontáveis inimigos, um pesadelo afiado de tortura e sofrimento em dentes – mas apenas para aqueles ainda casados com suas vidas passadas. Como reis ou beldades. Como homens ricos ou artistas famosos. Não, essas presas rangentes, batendo, assustariam apenas aqueles que ainda têm de aceitar o fato de sua imortalidade. A fera demoníaca bufa fogo, tossindo o ar escaldante com grandes garras afiadas. O monstro ruge com uma gargalhada tão gananciosa, tão gutural de fome, que até os canalhas e patifes que marcham no meu encalço, meus vagabundos e marginais, até eles começam a recuar de medo. Até Archer, com a cabeça inclinada contra o assalto de baforadas venenosas, sulfurosas, até meu tenente de cabelos azuis vacila em seu corajoso avanço.

Ainda assim, não me aventurei até aqui para ser apreciada. Nem para buscar qualquer tributo de doce afeição sorridente. Meu objetivo não é flertar ou obter favores; e na minha mente, meu cabelo que escorre, meus joelhos se erguendo alto, adaga desembainhada, eu pareço bem byrônica.

Ao chegar à distância de um braço desse demônio atroz, se devo dizer a verdade, não fico surpresa de me encontrar sozinha de pé. Todo o grupo, minha legião de grosseiros e gladiadores, apesar dos facões e bravatas, tremeram nas bases e se retiraram. Até meu segundo em comando, o punk Archer, hesita no ataque destemido. O cochicho de seu sábio conselho não sibila mais em meus ouvidos.

Pena do pobre demônio com apenas uma estratégia para vencer. Da mesma forma defeituosa com que Jane Eyre deve permanecer mansa e estoica, esse demoníaco Baal conhece apenas uma forma de existir: sendo temido. Enquanto existo, mutável e adaptável, moldando meu plano de batalha a cada novo momento, Baal nunca pode desmontar um inimigo numa risada incontrolável, nem seduzir um oponente usando uma beleza extraordinária. Portanto, quando deixamos de temer tamanha monstruosidade, nós o deixamos sem poder.

Usando um grito de guerra muito mais Grace Poole do que Jane Eyre, lanço-me com coragem e de cara em direção ao tórax suíno de Baal. De acordo com meu antigo treino oferecido pela escola de prevenção contra estupro, executo duas ofensivas prolongadas contra os olhos de pedra do demônio e os tenros genitais de porco, goivando os primeiros e metendo meus saltos nos segundos. Sem ligar para a preservação até agora cuidadosa da minha aparência asseada e bem composta, pego um punhado de lâminas de barbear corroídas que cobrem o chão e começo a cortar e rasgar, conseguindo provocar uma inundação de sangue de porco. O fedor das vísceras rompidas expostas do porco é o cheiro de ossuário. Uma neblina de sangue borrifado de matadouro e gritos de sacrifício se espalham. As vísceras voam em amplos arcos, estilo Grand Guignol, e até o céu alaranjado do Inferno é assolado pelo protesto guinchado de Baal.

É um fato pouco conhecido, mas demônios são apenas levemente mais difíceis de matar do que déspotas ou tiranos. Apesar de seus tamanhos imensos e aparência temível, os demônios são desprovidos de qualquer autoconfiança. Toda a vantagem deles fica em suas deformidades medonhas, arrogância, cheiro pútrido e, quando essas defesas são ultrapassadas, um demônio tem muito pouco com o que se armar. O grande orgulho de um demônio é também sua fraqueza. Como todos os valentões, quando chega o ponto em que um demônio é ridicularizado, ele com frequência dá no pé.

O pouco que restou de Madison Spencer, prole de estrela de cinema, está perdido num subsequente alvoroço selvagem. Enfrentando sozinha o maligno Baal, não deixo de estar ciente das hordas maculadas que, ao longe, testemunham minha brava selvageria. Atacado pela saraivada inesgotável de meus tapas infantis e golpes de menina, minhas ameaças vocais toscas, a furiosa chuva de meus beliscões e dedos na orelha, esse mais feroz dos demônios grita de dolorosa frustração. Sujeito a meu temporal temível de puxões de cabelo dolorosos, o meu ataque rápido como um raio de tapões, meu arsenal completo de insultos escolares, Baal luta para se livrar. Após um puxão de cueca em particular violento, o demônio desdobra suas asas de couro enrugadas e foge da cena de batalha. Essas asas de morcego acertam a fumaça preta e nuvens de moscas, e Baal corre para desaparecer no distante horizonte alaranjado.

Portanto, sou deixada sozinha nos portões selados dos quartéis-generais, mas só por um momento. Saboreio a glória de ser banhada, encharcada, inundada de um sangue quente que não é meu.

Mesmo antes de o dito sangue esfriar, uma voz solitária chama de uma janela alta nas muralhas trancadas. Uma voz de mulher chama:

– Maddy? É você? – Pouco maior do que o rosto que a ocupa, a janela é situada tão alto que leva um momento para meus olhos a localizarem, mas lá paira o rosto de uma senhora de idade, a sra. Trudy Marenetti, mais recentemente de Columbus, Ohio, que chegou ao Inferno por câncer. Ela grita: – Viva a pequena Madison!

De outra janela distante, outro rosto, o do sr. Halmott, vítima de ataque cardíaco congestivo, de Boise, Idaho, ecoa o grito:

– Viva a pequena Maddy!

De outra janela, outras muralhas e torres, uma multidão de rostos exclama o nome de Madison Spencer. Desses, alguns eu reconheço, mas outros não, porque conversei com eles só pelo telefone, aconselhando-os a não temer suas mortes iminentes. Durante minha ausência, essas almas chegaram em rebanhos, transformando o Inferno numa verdadeira Ellis Island de novas chegadas, chocadas, mas não devastadas pelos falecimentos, mais curiosas do que assustadas no anseio de deixarem suas antigas vidas fracassadas e embarcarem numa nova empreitada. Parece que eu os havia recrutado. Todos eles, cada um desses rostos me louva de suas janelas distantes nas paredes do Inferno. Exigem que os portões sejam abertos para que possam me abraçar... a nova heroína deles.

De repente, o ar fica preenchido por doçura enquanto gente morta me banha com Sugar Babies e bolas de chocolate maltado. Em tributo eles jogam uma nevasca açucarada de Pez e barris de cerveja preta.

Meu exército se junta de novo, e os sons inconfundíveis de trancas e correntes podem ser ouvidos de dentro das portas fechadas. Por frações de segundo, por uma distância mínima, os dois pesados portões começam a se abrir, oferecendo um vislumbre de dentro do quartel-general. Atrás de mim, a tropa tempestuosa avança em frente para me transportar sobre seus ombros assassinos, e me carregar, vitoriosa, para a cidade conquistada. Minhas hordas começam a saquear as arcas de doces de Hades. Saqueando aquele tesouro de Pixy Stix, Atomic Fire Balls e York Peppermint Patties.

Com os portões ainda não abertos por completo, uma figura aparece do interior, uma jovem mulher com belos seios e cabelo bonito; usando sapatos Manolo Blahnik falsos e detonados, brincos cúbicos de zircônia, uma sacola Coach falsificada sobre um braço, lá está ela: Babette.

Olhando para mim, com as bolas enrugadas de Calígula penduradas no meu cinto, próximo do terrível bigode de Hitler pendurado como um pequeno escalpo, minhas adagas variadas e porretes manchados de sangue, ela torce seu narizinho de botão:

– Você não deveria nunca usar essas merdas de acessórios.

Sem dúvida ela ainda quer me transformar numa versão sirigaita de uma Ally Sheedy hiperproduzida.

Dando um passo à frente, peço:

– Pode me fazer um favor? – A multidão que nos cerca espera num silêncio reflexivo enquanto eu tiro o teste de polígrafo dobrado do bolso da minha bermuda-saia ensanguentada. Esse relatório cifrado em relação à minha visão sobre casamento gay e pesquisa de células-tronco e direitos das mulheres, coloco isso, a versão com pontuação final do meu teste, na mão estendida de Babette, e digo:

– Passei ou não?

E, com seus dedos com unhas de esmalte branco vencido, Babette tira o resultado do teste do envelope de papel pardo e começa a ler.

XXXI

Está aí, Satã? Sou eu, Madison. Minha mãe costumava dizer: "Madison, você se preocupa demais". Traduzindo: surto com tudo. Quero dizer: TUDO MESMO. *Agora estou preocupada porque venci. Minha ascensão ao poder parece ter sido fácil demais. Na minha vida, na vida dos meus pais, a recompensa veio com tão pouca luta. As casas em Dubai, Cingapura e Brentwood. A vida após a morte segue; entretanto, não é bem a morte de costume.*
Algo parece estranho, mas não sei dizer o que é.

Lá se foi a antiga Maddy Spencer, aquela das boas maneiras de colégio interno. Essa parte cativante de mim foi declarada extinta. Verdade, mais uma vez estou sentada diante da mesa da estação de telemarketing, mas os fones ficam de lado na minha cabeça, dando espaço para a coroa cravejada de pérolas De Médici, e meu comportamento está alterado para sempre, para melhor ou pior.

Em vez de adular os cronicamente doentes, de maneira diplomática e sem ameaças, assegurando-os da qualidade de vida no Hades – existe o termo *qualidade de morte?* –, expondo todas as oportunidades maravilhosas oferecidas pela vida após a morte, a nova versão de mim mesma intima os que estendem essa ociosidade, os que adiam a própria morte. Em vez de ensinar e assegurar, a nova e agressiva Madison faz um longo discurso aos moribundos que têm a infelicidade de empreender uma conversa telefônica comigo. Sim, tenho treze anos de idade, estou morta e faço trabalho infantil no Inferno – mas pelo menos não fico chorando nem resmungando sobre minha situação. Ao contrário, as pessoas com quem falo são tão eternamente apegadas à própria saúde e conquistas, ao lar, aos entes queridos e aos corpos físicos; tão apegadas ao próprio *medo* idiota. Esses estranhos fracassados com tumores cerebrais de estágio quatro e problemas nos rins dedicaram a vida a se aperfeiçoar, praticando e refinando cada nuance da personalidade, e agora todo o esforço está prestes a ser desperdiçado. Com toda honestidade, eles trazem minha irritação à tona.

A Madison Spencer de antes se importaria em segurar uma mão assustada, acalmá-los e confortá-los. Quem eu sou agora, entretanto, lhes diz que chorem um rio fedido de merda e caiam mortos de uma vez.

De vez em quando, uma divisão ou companhia da minha horda manchada, os exércitos que herdei de Gilles de Rais ou Hitler, ou Idi Amin, passa por ali, implorando por algum trabalho, alguma tarefa de larga escala para desempenhar a meu favor.

Com mais frequência, o povo que conduzi ao Inferno passa para mostrar respeito. Os mortos recém-chegados ainda com odor de cravos de velório e formol, essas almas imigrantes trazem maquiagem e penteados exagerados, que apenas um agente funerário faria, e tão somente um defunto poderia tolerar. Esses recém-chegados todos se sentem compelidos a conversar sobre a terrível experiência de morte, e eu os deixo tagarelando. Com bastante frequência, eu os direciono a uma das numerosas sessões de terapia que criei, meus novos grupos de recuperação de esperançosos inveterados – um clichê de doze passos de apoio em grupo. A alta taxa de graduação e baixo índice de desistência deixaria Dante Alighieri orgulhoso. Após algumas semanas de queixas e lamentos – a crise usual por itens preciosos perdidos e inimigos que sobreviveram, e injustiças que não foram vingadas, além do regozijo torpe típico sobre conquistas e prêmios passados –, a maioria das pessoas tem sua cota e decide seguir em frente com a existência eterna. Por mais rudes que meus métodos possam parecer, meus amigos mortos não estão entre as pessoas que permanecem por séculos em celas imundas, praguejando contra a nova realidade. Os mortos que treinei provam ser notavelmente bem-ajustados e produtivos. Entre eles, Richard Volk, que morreu cheio de hematomas causados por um acidente de carro semana passada em Missoula, Montana; esta semana ele lidera os antigos batalhões de Genghis Khan na campanha atual para coletar todas as bitucas de cigarro jogadas que inevitavelmente acabam por aqui. Neste lugar também está Hazel Kunzeler, que sucumbiu à hemofilia duas semanas atrás, em Jacksonville, Flórida; agora ela comanda antigas legiões romanas em sua última missão, dada por mim, para propagar um bilhão de botões de rosa florescentes no espaço atualmente ocupado pelo Lago da Bile Tépida. Obviamente isso se constitui num projeto descarado apenas de geração de trabalho – pode me processar –, mas o esforço mantém todos ocupados por eras a fio, e até mesmo um pequeno nível de sucesso melhora a atmosfera geral do submundo. O mais importante é que essas missões afastam pretensos puxa-sacos e permitem que me concentre em meus próprios projetos.

Sim, posso ser uma criança morta estrangulada num jogo sexual mal compreendido, mas para mim o copo está na maioria das vezes metade cheio. Apesar do otimismo, nem sinal de Goran ainda – não que tenha revirado o além-vida buscando por ele de forma obsessiva, desesperada e solitária.

Nos limites de minha visão periférica, Babette vem caminhando em minha direção com meu teste de salvação do polígrafo nas mãos de unhas com esmalte vencido.

Em meu *headset* de telefone, pergunto a uma mulher de meia-idade agonizante em Austin, Texas:

– Está familiarizada com o antigo divórcio ao estilo Reno? – Explico como, décadas atrás, bastava tirar férias de seis semanas para estabelecer residência em Nevada e preencher uma ficha para dissolução matrimonial sem culpa. Bem, digo-lhe que pegue o próximo voo para Oregon, onde legalizaram o suicídio assistido. Ela nem vai precisar comprar passagem de ida e volta, e poderá estar morta no próximo fim de semana.

– Contrate um hotel de luxo no centro de Portland – instruo –, faça uma massagem e peça serviço de quarto para ter uma overdose de fenobarbital. *Fácil assim*. Faça um verdadeiro piquenique...

Sentada ali, falando ao telefone com meus dedos cruzados, juro que tudo é verdade. Palavra de escoteiro... Minha estação de trabalho, o que passaria como um cubículo de escritório na Terra, está enfeitada com meus suvenires de poder, as várias armas de assassinato, partes de corpo e símbolos de poder imperial. Encarando-me do quadro de cortiça, o pedaço de bigodinho de Hitler não inspira honestidade.

Na minha visão periférica, Babette se aproxima, trazendo os inevitáveis resultados do meu teste.

No meu telefone, asseguro a essa pessoa agonizante do Texas que o registro permanente dela está aberto na mesa diante de mim, e mostra que ela basicamente pegou a rota expressa para o Inferno desde os 23 anos, quando cometeu adultério. Apesar de na época estar casada com o marido há apenas duas semanas, tivera relação sexual com um carregador de bagagens local, em grande parte porque ele a lembrava de um antigo admirador. Nos rastros dessa revelação, a mulher perde o fôlego. Entra num acesso de tosse, e luta para perguntar:

– Como sabe disso?

Além do mais, parece ter buzinado demais com o carro. De acordo com a lei divina, explico, cada ser humano não pode buzinar mais do que quinhentas vezes durante a vida toda. Uma buzina além desse número, não importam as circunstâncias, resulta numa condenação automática ao Inferno – o que basta para afirmar que todos os motoristas de táxi estão predestinados a esse local. Uma lei similarmente inquebrável se aplica a bitucas de cigarro descartadas. As primeiras cem são permitidas, mas qualquer bituca a mais resulta numa condenação eterna sem esperança de resgate. Ela também parece ter violado esse regulamento. Está tudo escrito ali, impresso em matricial preto e branco, quase ilegível na ficha pessoal dela.

Agora Babette chegou até a altura de meu cotovelo, onde fica parada, batendo a ponta do Blahnik falso, e vira o pulso para olhar ostensivamente as horas no seu Swatch há muito sem função.

Para pedir um tempinho, seguro um dedo indicador esticado, balbuciando a palavra *espere*, enquanto ao telefone digo à senhora do Texas que não há nada que ela possa fazer no breve tempo que tem de sobra na Terra que lhe garanta um lugar no Céu. Ela precisa pensar nos entes queridos, parar de querer chamar a atenção e permitir que as pessoas que a amam voltem para suas próprias, breves, confusas e preciosas vidas. Sim, ela deveria avisá-los sobre não buzinar tanto e não jogar muitas bitucas de cigarro por aí, mas tem de seguir em frente.

Digo a ela:

— Morra de uma vez. — Com o dedo pairando sobre o painel de controle, peço: — Espere, por favor... — e soco o botão. Viro meu assento para encarar Babette, a sobrancelha arqueada em expectativa. Todo o meu rosto exibe um silencioso e suplicante *por favor*.

Babette estende o relatório. Tamborila um dedo de esmalte vencido em um número no fim de uma longa coluna de números de matriz de ponto tênue, e diz:

— Apenas pela pontuação geral de culpabilidade... Este número aqui. — Passando-me a folha, Babette continua: — É preciso apelar. — Com isso, gira em um dos saltos detonados das sandálias e se afasta.

Minha mais recente recruta do Inferno, a mulher que buzina, joga bitucas e agoniza lentamente no Texas ainda pisca em espera na ligação.

Gritando para Babette, pergunto o que quer dizer com *apelar*.

Em resposta, sem devolver meu olhar, Babette grita, já a quatro... cinco... seis estações de trabalho de distância; ainda recuando, ela diz:

– Você nem deveria estar aqui... – De mais longe ainda, ela berra: – Houve um engano oficial. – Alto o suficiente para todo o mundo ouvir, prossegue gritando: – Confira de novo os números você mesma. Porque, neste exato minuto, você deveria estar no Céu.

De um lado a outro, a infinita fileira de operadores de telemarketing parece me encarar. Uma multidão de mercenários e recém-saídos do forno do Inferno aguardam de ouvidos atentos, a expressão flagrantemente confusa. Alguém de um pequeno grupo avança um passo – não um vil pirata encharcado em sangue, nem uma pessoa velha vestida no melhor terno para o velório. Não, essa estranha tem aproximadamente minha altura. Um palpite razoável seria estimar a idade dela em treze anos. Essa estranha quase poderia passar por uma antiga versão minha, a imaculada, bem-comportada Madison, que usava sapatos sensatos e um conjunto de tweed escolhido com cautela para mascarar um futuro de imundície. Em contraste com a versão corrente de mim mesma, a pequena estranha se apresenta sem sangue demoníaco seco nas mãos ou no rosto, o cabelo penteado direitinho e meticulosamente arranjado. Oferecendo uma mão delicada de belos dedos rosados, essa menina pergunta:

– Madison Spencer? – O olhar encontra o meu com olhos calmos, sem piscar, a fileira dupla de dentes brancos perfeitos presos em aparelhos de aço inox. – Você venceu...

Com isso, as mãos delicadas da menina se enfiam nos bolsos da saia de tweed, depois nos bolsos do suéter, e ela apresenta doces. Sete, oito, nove barras de chocolate. Dez barras grandes de

Milky Way, minha nova melhor amiga – *minha primeira melhor amiga para sempre, Emily* –, essa menina morta oferece um prêmio em doces de chocolate para mim.

XXXII

*Está aí, Satã? Sou eu, Madison. Que coisa mais
terrivelmente hipócrita, você pode dizer, mas, logo que
me oferecem a chance de fugir do Inferno, fico com
vontade de ficar. Poucas famílias mantêm
relacionamentos tão próximos quanto em prisões. Poucos
casamentos sustentam o alto nível de paixão que existe
entre criminosos e aqueles que procuram trazê-los à
justiça. Não é de espantar que o Assassino do Zodíaco
flertou tão obstinadamente com a polícia. Ou que Jack,
o Estripador, cortejou e deu pistas a detetives em cartas
tímidas. Todos queremos ser perseguidos. Todos
queremos ser desejados. Nesse ponto, estou no Inferno há
um período maior do que passei em qualquer um dos
meus lares terrenos, em Durban, em Londres,
em Manila. Pior do que me sentir em conflito,
sinto-me miserável com a ideia de ir embora.*

Para poder manter os vários exércitos sedentos de sangue ocupados e longe do meu pé, eu ordenei que eles capturassem e pintassem todos os nojentos morcegos do Inferno de vermelho e azul, para que passassem por cardeais e azulões. Aos carniceiros produtivos, anteriormente empregados por Pol Pot e Madame Defarge, mandei fabricar asas bonitinhas de borboleta com papel colorido e purpurina, depois grudar essas asas falsas nas asas reais das moscas que estavam sempre presentes. Não apenas isso emboneca a atmosfera normalmente lúgubre do submundo, como também evita o que seriam os inevitáveis confrontos entre hordas de mongóis, tropas de assalto nazistas e antigos soldados egípcios. Mais importante, mantém todos ocupados e permite que eu passe o tempo fazendo uma turnê com Emily, comendo Milky Ways e conversando sobre meninos.

Durante nossa caminhada relaxada, eu aponto as possíveis melhorias para a paisagem, um arbusto florescendo aqui, um espelho d'água ali, talvez um aviário com papagaios coloridos; Emily anota fielmente cada uma dessas coisas numa pranchetinha que ela carrega.

As massas potencialmente necessitadas dos novos mortos, aquelas almas ansiosas que eu incitei a morrer e vir para o Inferno, realoquei esse povinho para vários outros projetos de reparação. Sério, eu devia pelo menos ser considerada a Roosevelt do pós--vida com todas as represas que decretei que fossem construídas sobre os rios de sangue escaldante. Ordenei que outras equipes de trabalhadores escavassem canais e drenassem expansivos pântanos de transpiração fétida; graças a mim, o antigo Pântano de Suor do Inferno não existe mais. Almas perdidas que passaram vidas inteiras no estudo e prática de engenharia civil e estrutural ficam empolgadas com a oportunidade de dar uma utilidade às suas habilidades. Os morros rolantes de muco semicoagulado foram aplainados. E um *gulag* inteiro de trabalhadores escravos alegremente condenados não faz nada além de fabricar vitórias-régias falsas de papel crepom e colocar suas obras na superfície do Lago de Merda.

Mais e mais eu vejo que o Inferno não é tanto uma conflagração punitiva quanto é o resultado natural de eras de manutenção adiada. Colocando francamente: o Inferno não é nada mais do que uma vizinhança marginal que se deixou deteriorar ao extremo. Veja todos esses incêndios de minas de carvão fumegantes, no subsolo, expandindo-se para dar conta de todos os montes de pneus queimados, jogados em todos os esgotos abertos e campos de lixo tóxico, e o resultado inevitável seria o Inferno, uma situação dificilmente reparada por sua tendência autoabsorvida de os residentes focarem-se nos próprios infortúnios e deixarem de levantar um dedo morto para defender seu ambiente.

De nosso posto privilegiado, caminhando pela praia do Mar de Insetos, Emily e eu inspecionamos as melhorias lentas, mas certas, da paisagem pavorosa. Eu aponto áreas de interesse. O Rio de Saliva Quente que se estende... os abutres circulando Hitler e seus colegas distantes relegados a seu lugar indizível. Explico as regras aparentemente arbitrárias com as quais as pessoas entram nesse infortúnio, como cada pessoa viva pode usar a palavra com P um máximo de setecentas vezes. A maioria das pessoas não tem a menor ideia de como é fácil ser condenado, mas, se alguém disser *porra* pela 701ª vez, ele ou ela será condenado(a) de modo automático. Regras similares se aplicam à higiene pessoal; por exemplo, na 855ª vez que você deixa de lavar as mãos depois de esvaziar os intestinos ou a bexiga, está condenado. A 300ª vez que você usar a palavra *neguinho* ou a palavra *bicha*, não importa sua raça ou preferência sexual, você acaba comprando aquele temido bilhete só de ida para o submundo.

Caminhando por lá, digo a Emily como os mortos podem mandar mensagens para os vivos. Da mesma forma que gente viva manda flores ou e-mails, uma pessoa morta pode mandar para uma pessoa viva uma dor de estômago ou um zumbido no ouvido ou uma melodia que não sai da cabeça e que vai ocupar a atenção da pessoa viva ao ponto da loucura.

Nós duas caminhamos examinando por alto a paisagem pútrida e efervescente. A troco de nada, Emily diz:

– Conversei com aquela Babette, e ela disse que você tem um namorado...

Não tenho, insisto.

– O nome dele – Emily diz – é Goran?

Eu insisto que Goran não é meu namorado.

Os olhos dela permanecem fixos nas notas que escreveu na prancheta. Emily pergunta se eu sinto saudades de meninos. Talvez do baile de formatura? Sinto saudade da oportunidade de namorar e me casar e ter meus filhos?

Não particularmente, eu respondo. Uma trupe de periguetes sinistras no meu velho colégio interno, as três infames que me ensinaram o jogo do malho, elas certa vez se voluntariaram a me educar sobre reprodução humana. Como elas me diziam, o motivo pelo qual os meninos desejam tão desesperadamente beijar as meninas é porque, com cada beijo, a atividade faz os pintos dos moleques aumentarem. Quanto mais meninas um garoto beijar, maior o pinto, e os garotos que se vangloriam de ter o maior são premiados com os trabalhos de maior status e que pagam melhor. Sério, é bem simples assim. Todos os meninos dedicam a vida a conquistar os genitais maiores, fazendo aquele troço nojento crescer para que possam acabar enfiando numa infeliz qualquer. A ponta distante do pinto alongado quebra – sim, o pinto fica tão grande que acaba quebrando – e a parte quebrada permanece alojada na ximbica da menina. Esse acontecimento natural é tipo os lagartos que vivem em desertos áridos e podem voluntariamente soltar o rabo, que se contorce. Qualquer pedaço, de uma pontinha até quase todo o pinto, pode literalmente ficar dentro da menina, e ela não tem como tirá-lo.

Emily olha para mim, seu rosto torcido com muito mais nojo do que ela mostrou quando viu pela primeira vez o Lago da Bile Tépida ou o Grande Oceano de Esperma Desperdiçado. A prancheta fica pendurada, ignorada em suas mãos.

Continuando, explico que a porção alojada do pinto fraturado cresce para se tornar o bebê resultante. Quando o pinto quebra em duas ou três porções, cada um desses se desenvolve para se tornar gêmeos ou trigêmeos. Toda essa informação fatual vem de uma fonte legítima, eu asseguro Emily. Se alguém no colégio interno suíço sabia alguma coisa sobre meninos e seus genitais ridículos, seriam aquelas três galinhas.

– Conhecendo os fatos da vida como eu conheço – digo a Emily –, não, certamente *não* sinto falta de ter um namorado...

Nós duas continuamos a caminhar em silêncio. Meu arranjo de fetiches e objetos de poder se penduram balançando no meu cinto. Eles chacoalham batendo uns contra os outros. Eu sugiro que uma fonte bonitinha para passarinhos seja colocada aqui ou ali. Ou um relógio de sol cercado por um arranjo pitoresco de petúnias vermelhas e brancas. Uma hora, para acabar com um silêncio maior, pergunto do que ela mais tem saudades de quando estava viva.

– Minha mãe – Emily diz. – Beijos de boa-noite. Bolo de aniversário. Empinar pipa. – Sugiro que sininhos de vento possam melhorar a fumaça preta que cresce e nos envolve. Emily deixa de anotar essa ideia. – E as férias de verão na escola – completa. – E sinto falta de balanços...

À nossa frente, uma figura vem caminhando na direção oposta. É um menino, entrando e saindo das nuvens oscilantes de fumaça. Ele é revelado e oculto. Fica aparente e escondido.

Ela sente falta de desfiles de rua, diz Emily. Zoológicos de animais domésticos. Fogos de artifício.

A figura do menino se aproxima de nós, segurando algum tipo de travesseiro no peito. Seus olhos são devassos, sua fronte grosseira e temperamental, os lábios curvados num sorriso sensual de escárnio. O travesseiro que ele carrega é de um laranja vivo, com texturas que parecem simultaneamente suaves e vivas. O garoto usa um macacão rosa-choque com um número comprido bordado de um lado do peito.

– Sinto saudades de montanhas-russas – Emily diz. – E passarinhos... *passarinhos reais*, quero dizer. Não morcegos pintados de vermelho.

O garoto, agora bloqueando nosso caminho, é Goran.

Levantando o olhar da prancheta, Emily diz:

– Oi.

Acenando para ela, ele fala comigo:

– Desculpe ter sufocado você até a morte – diz em seu sotaque de vampiro, e move o travesseiro laranja na minha direção. – Você vê que agora estou morto também – argumenta, colocando o travesseiro no meu braço. – Encontrei isso para você.

O travesseiro parece quente. Ele zumbe em pequenos pulsares. Laranja vivo, macio, olha para mim com olhos verdes faiscantes, bem vivo e ronronante, aninhado contra meu suéter manchado de sangue. Golpeia com uma perna, as garras minúsculas batendo nos testículos de Calígula.

Não mais morto nem enfiado no encanamento de algum hotel de luxo, não mais um travesseiro, é meu gatinho. Vivo. É o Listra de Tigre.

XXXIII

Está aí, Satã? Sou eu, Madison. Estou com meu gatinho.
Estou com meu namorado. Estou com minha melhor amiga.
Tenho mais morte a meu lado do que jamais tive em vida.
Exceto pelo meu pai e minha mãe.

Foi só eu fazer as pazes com Goran que outra crise começou. Foi só eu aceitar a bolinha felpuda e quentinha do meu amado gatinho, Listra de Tigre, que meu equilíbrio emocional foi de novo nocauteado. Goran, assegurei a ele, não me matou. Sim, de certa maneira ele acidentalmente matou a pessoa identificada como Madison Spencer; destruiu para sempre aquela manifestação física, mas Goran não *me* matou. Continuo a existir. Além do mais, suas ações foram precipitadas pelo meu próprio conceito falacioso de malho. O que aconteceu na suíte de hotel foi uma comédia de erros grosseira.

Graciosamente, aceitei o Listra de Tigre e apresentei Goran a Emily. Nosso trio continuou a caminhar até que minhas obrigações fizeram com que voltasse ao trabalho de telemarketing. Com meu amado gatinho aninhado e dormindo no meu colo, ronronando feliz, e meu *headset* firme no lugar, passei a fazer as pesquisas com o computador central conectando-me aos lares, à gente viva e respirante em zonas de horários em que o jantar estava pronto para começar.

Numa residência, algum lugar com um código de área da Califórnia, uma voz de homem atendeu:

– Alô?

– Olá, senhor – começo, seguindo o roteiro que dita cada declaração e resposta. Fazendo carinho no gato que descansa no colo, prossigo: – Posso ter alguns minutos do seu tempo para um importante estudo referente a hábitos de consumo em relação a várias marcas concorrentes de fita adesiva...?

Se não fosse fita adesiva, seria outra coisa tão mundana quanto: cera de móveis em aerossol, fio dental, tachinhas.

Ao fundo, quase perdida ao longe, atrás do timbre masculino, uma voz de mulher comenta:

– Antonio? Está doente?

A voz da mulher, assim como o número de telefone, parece-me estranhamente familiar. Ainda fazendo carinho no Listra de Tigre, insisto:

– Só vai levar alguns momentos...

Segue-se silêncio. Digo:

– Alô? Senhor?

Outro momento de silêncio ocorre, quebrado por um suspiro entrecortado, quase um soluço, e em seguida uma voz de homem pergunta:

– Maddy?

Verificando de novo o número de telefone, o número de dez dígitos que aparece na tela do computador, eu o reconheço.

Em meus fones, o homem fala:

– Oh, meu bebê... é você?

A voz de mulher ao fundo diz:

– Vou pegar a extensão do quarto.

O número de telefone é nossa linha não listada para a casa em Brentwood. Por uma grande coincidência, o discador automático havia telefonado para minha família. Esse homem e essa mulher são os antigos *beatniks*, antigos hippies, antigos rasta, antigos anarquistas – meus antigos pais. Soa um clique alto, de alguém levantando outro gancho, e a voz de minha mãe pergunta:

– Querida? – Sem esperar pela resposta, ela começa a chorar, implorando: – Por favor, oh, minha querida, por favor, diga algo para nós...

O cabeçudo do Leonard senta-se em sua estação de trabalho planejando movimentos de xadrez contra algum adversário vivo em Nova Délhi. Do lado oposto, Patterson conspira com torcedores de futebol empolgados, mantendo-se atualizado sobre times e passes, marcando as estatísticas nos espaços em branco de uma planilha fictícia. Os negócios do Inferno continuam imperturbáveis, estendendo-se horizonte afora. No outro canto, a vida após a morte continua como de costume, mas no meu *headset* a voz de minha mãe implora:

– Por favor, Maddy... Por favor, diga a seu pai e a mim onde podemos encontrá-la.

Fungando, a voz engasgada e a respiração explodindo no telefone, meu pai soluça:

– Por favor, meu bem, não desligue... – Mais um soluço. – Oh, Maddy, sentimos tanto termos deixado você sozinha com aquele canalha do mal.

– Aquele... – minha mãe guincha –, aquele... assassino!

Tenho a impressão de que falam de Goran.

E, sim, derrotei demônios, depus tiranos e tomei comando do exército deles. Tenho treze anos de idade e conduzi milhares de pessoas à beira da morte para a próxima vida com relativamente pouca preocupação. Nunca terminei o ensino fundamental, mas estou reparando a natureza do Inferno e cumprindo prazos sem estourar o orçamento. Lanço habilmente palavras como *abster* e *multivalência* e *propagar*, mas sou pega desprevenida por completo pelo som de lágrimas dos meus pais. Para me ajudar a mentir, seguro o pedaço ressecado do bigode de Hitler. Para me manter fria, sufoco as lágrimas que brotam em meus olhos ardentes, consulto a coroa da De Médici. No telefone, peço a meus chorosos pais que se acalmem. É verdade, asseguro-lhes: estou morta. Com a voz fria de um assassino de crianças, Gilles de Rais, digo à minha família que deixei para trás a vida frágil de mortal e que agora habito a vida eterna.

Com isso, o choro deles diminui. Num cochicho abafado, rouco, meu pai pergunta:

– Maddy? – Numa voz pesada de preocupação, prossegue: – Está sentada com o Buda?

Com a voz mentirosa de um assassino em série, Thug Behram, conto a meus pais que tudo o que me ensinaram sobre relativismo moral, reciclagem, humanismo secular, comida orgânica e expansão da consciência Gaia... tudo se revelou absolutamente verdadeiro.

Um grito de prazer e risadas escapam da boca de minha mãe. Um puro desabafo de alívio.

E, sim, assegurei a eles: tenho treze anos e ainda sou aquela preciosa menininha. Morta, mas resido para sempre no sereno e pacífico Paraíso.

XXXIV

Está aí, Satã? Sou eu, Madison. Meu grupo de amigos mortos e eu planejamos uma pequena peregrinação para farrear entre os vivos. E saquear a Terra em toda a sua riqueza de doces.

Leonard vai atrás de *candy corn*, aquelas sementes falsas de açúcar arenoso listradas de branco, laranja e amarelo. Patterson está com desejo de caramelos sabor chocolate, mais conhecidos como Tootsie Rolls. Archer cobiça aquele exagero de doces de amendoins e *toffee* comercializados como Bit-O-Honey. Para Babette, é pastilha de menta Certs.

Como Leonard explica, Halloween é a única ocasião regular na qual os mortos do Inferno podem revisitar os vivos na Terra. Do anoitecer até meia-noite, os condenados podem caminhar – bem visíveis – entre os vivos. A diversão termina com as badaladas da meia-noite; e, como Cinderela, perder esse toque de recolher gera uma punição especial. Como Babette descreve, qualquer alma atrasada é forçada a vagar pela Terra por um ano, até o anoitecer do próximo Halloween. Graças ao plástico derretido do Swatch sem função, Babette perdeu o horário uma vez e foi banida ao ócio, invisível e inaudível entre os vivos obcecados, por doze entediantes meses.

Em preparação para o passeio de Halloween, sentamos em grupo, costurando, colando, recortando fantasias. O cabeçudo campeão de xadrez, Leonard, corta a barra de umas calças; com os dentes, morde e desfia as pernas. Catando um punhado de cinzas do chão, Leonard as esfrega nas calças. Suja uma camisa esfarrapada e esfrega as palmas sujas para enegrecer o rosto.

Assistindo àquilo, pergunto se ele quer se parecer com um mendigo. Um vagabundo, talvez?

Leonard balança a cabeça dizendo que não.

Pergunto:

– Um zumbi?

Ele balança a cabeça em um gesto negativo.

– Sou um copista escravo de quinze anos que morreu no incêndio que destruiu a grande biblioteca de Ptolomeu Primeiro em Alexandria.

– Esse seria meu próximo palpite – comento. Soltando baforadas na lâmina e polindo minha adaga, pergunto por que Leonard escolheu essa fantasia em particular.

– Não é uma fantasia – Patterson diz com uma risada. – É o que ele foi. É como ele morreu.

Leonard pode parecer e agir como um moleque contemporâneo, mas está morto desde o ano 48 a.C. Patterson, com seu uniforme de futebol americano e beleza também bem americana com carinha de bebê, explica o fato enquanto lustra um capacete de bronze. Tirando o capacete de futebol, encaixa o capacete de bronze no cabelo encaracolado.

– Sou um soldado ateniense morto numa batalha com os persas em 490 a.C.

Passando um pente no cabelo, com as cicatrizes vermelhas bem visíveis nos pulsos, Babette explica:

– Sou a grande Princesa Salomé, que exigiu a morte de João Batista e foi punida sendo atacada por cachorros selvagens.

Leonard diz:

– Nem em sonho.

– Está certo – Babette confessa. – Sou uma dama de companhia de Maria Antonieta, e dei cabo de minha vida para não encarar a guilhotina em 1792...

Patterson fala:

– Mentirosa.

Leonard acrescenta:

– E você não é Cleópatra também.

– Está bem – Babette diz –, foi a Inquisição espanhola... acho. Não riam, mas faz tanto tempo que não me lembro muito bem.

No Halloween, os bons costumes dizem que os mortos não devem apenas visitar a Terra, mas fazer isso disfarçados de como foram em vidas passadas. Portanto, Leonard se torna mais uma vez o antigo pamonha. Patterson, um atleta da Era do Bronze. Babette, uma bruxa torturada, ou seja lá o que for. O fato de alguns de meus novos amigos terem morrido há séculos, alguns há milênios, torna o momento presente em que estamos sentados juntos, costurando e polindo, muito mais frágil, precioso e amaldiçoado.

– Pode ir esquecendo – diz a pequena Emily. É evidente que costura uma elaborada saia de filó, decorando-a com gemas que reuniu de desconsoladas almas em coma. Enquanto costura, diz:
– Não vou sair por aí no Halloween fantasiada de canadense idiota com aids. Serei uma princesa-fada.

Cá para nós, tenho medo de andar por aí entre os vivos. Uma vez que é meu primeiro Halloween desde a minha partida, tremo só de pensar em quantas vagabas estarão por aí com camisinhas da Hello Kitty enroladas no pescoço, os rostos anóxicos com maquiagem azul, numa paródia barata do meu trágico fim. Andando por essas poucas horas, serei continuamente confrontada pelos insensíveis farristas enquanto tiram sarro de mim? Como Emily, considero aparecer como uma personagem padrão: gênio, anjo ou fantasma. Outra opção possível é levar meus exércitos malignos de volta à Terra e fazê-los me carregar numa cadeira dourada enquanto caçamos minhas inimigas piranhas e as aterrorizamos. Poderia carregar o Listra de Tigre e me apresentar como uma bruxa acompanhada de um familiar.

Talvez sentindo minha relutância, Leonard pergunta:
– Você está bem?

Comentário ao qual apenas dou de ombros. Não melhora meu ânimo lembrar como menti para meus pais ao telefone.

A única coisa que faz o Inferno parecer o Inferno, lembro a mim mesma, é a nossa expectativa de que ele pareça com o Paraíso.

– Isso pode alegrar você – diz uma voz. Aproximando-se sem que eu percebesse, Archer ficou em nossa companhia e, em vez de uma fantasia, carrega uma pasta grossa. Acomodando-a numa das mãos, usa a outra para pegar uma folha de papel e tirá--la. Suspendendo a folha para que todos a vejam, Archer diz:

– Quem diz que só se vive uma vez?

Carimbada na folha de papel, em letras sem serifa, está uma única palavra: APROVADO.

XXXV

Está aí, Satã? Sou eu, Madison.
Se você me perdoar,
preciso voltar atrás um momento.
Engraçado... eu pedindo perdão ao Diabo.

A folha de papel que Archer segurava é minha apelação. É o formulário cheio de blá-blá-blá para reconsideração que Babette preencheu para mim em resposta aos resultados do meu teste de salvação do polígrafo. Pode ser que minha alma tenha sido mesmo considerada inocente e que os poderes superiores estejam corrigindo o erro. No entanto, é mais provável que o que ocorreu tenha caráter político, e minha crescente força política – os recrutas recém-falecidos que havia trazido da Terra, os exércitos que reunira – representa tal ameaça que os demônios querem me libertar se isso significar manter o poder nas mãos deles. No fim das contas, o resultado é... que não tenho mais de ficar no Inferno. Nem preciso mais ficar morta.

Posso voltar para a Terra, ficar com meus pais, viver o tempo que tiver de sobra. Vou poder menstruar, ter bebês e comer abacate.

O único problema é que disse a meus pais que ficaríamos juntos pela eternidade. Sim, claro, disse a eles que ficaríamos todos no Céu com Buda e Martin Luther King Jr. e Teddy Kennedy fumando haxixe e tudo o mais... Mas ESTAVA só tentando poupar os sentimentos deles. Honestamente, minha motivação era bem nobre. Sério, só queria que parassem de chorar.

Não, não sou completamente irrealista sobre as minguadas chances de meus pais alcançarem o Paraíso. Naquele canto, falando ao telefone, fiz meu pai prometer buzinar pelo menos cem vezes por dia. Fiz minha mãe jurar que usaria a palavra *porra* e sempre jogaria bitucas de cigarro pela janela. Com a ficha que já têm, esses comportamentos assegurariam a condenação deles. Para sempre no Inferno é ainda para sempre, e pelo menos estaríamos juntos como uma família intacta.

Enquanto ele chorava, forcei meu pai a prometer que nunca iria recusar a oportunidade de soltar pum num elevador lotado. Fiz minha mãe prometer que faria xixi na piscina de cada hotel em que entrasse. A lei divina permite que cada pessoa solte gases em apenas três elevadores e urine na água compartilhada de apenas duas piscinas. Isso independe da idade, portanto a maioria das pessoas já está condenada ao Inferno desde os cinco anos.

Contei à minha mãe que ela ficava bem linda entregando aqueles Oscars imbecis, mas que devia apertar Control + Alt + D e destrancar a porta do meu quarto em Dubai, Londres, Cingapura, Paris, Estocolmo, Tóquio e outros lugares – todos os meus quartos. Apertando Control + Alt + C, deveria abrir todas as cortinas e deixar que a luz do sol entrasse nesses lugares selados e sombrios. Fiz meu pai prometer dar minhas velhas bonecas, roupas e bichos de pelúcia às empregadas somalianas que temos em cada casa, e aumentar consideravelmente o salário de todas elas. Além desses pedidos, solicitei a meus pais que adotassem as empregadas somalianas, adotassem legalmente mesmo, e se certificassem de que essas moças ganhariam diplomas universitários e se tornariam cirurgiãs plásticas bem-sucedidas, advogadas tributaristas e psicanalistas, e afirmei que minha mãe não poderia mais trancá-las em banheiros, nem como piada – até que meus pais gritassem em uníssono ao telefone:

– Chega, Madison. Prometemos!

No meu esforço para confortá-los, acrescentei:

– Mantenham as promessas e seremos uma grande família feliz para sempre!

Minha família, meus amigos, Goran, Emily, Senhor Treme-Treme e Listra de Tigre... todos passaríamos a eternidade juntos.

Mas, agora, parece que *sou eu quem não vai estar aqui no Inferno.*

XXXVI

Está aí, Satã? Sou eu, Madison. Mas acho que você já sabe disso. Se você tem de ser levado a sério, acho que sabe mais sobre mim do que eu mesma. Você sabe de tudo, mas suspeito que algo não estava certo. Pelo menos nós nos encontramos cara a cara...

Estamos todos vestidos com nossas fantasias de Halloween, que não são realmente fantasias, com exceção da fantasia de Emily, de princesa-fada. Babette se recusa a aceitar a possibilidade de que seja um zé-ninguém morto; em vez disso, embonecou-se como Maria Antonieta, desenhando marcas de pontos pretos no pescoço, e no momento estamos matando tempo na praia do Lago da Bile Tépida, esperando uma carona de volta à Vida Real para pegar uns tesouros de doces bem gostosos.

Quando parece que vamos ser compelidos a pegar algum resto nojento de carro de boi sujo que levou os judeus para o holocausto, um familiar Lincoln Town Car preto passa em câmera lenta por nós. É o mesmo carro do meu velório, e o mesmo motorista uniformizado usando um boné com visor e óculos escuros espelhados que sai do assento do motorista e se aproxima do nosso grupo. Com a mão enluvada, segura uma pilha de papéis brancos de aparência tenebrosa. Num canto, três parafusos pequenos de encadernação prendem as folhas juntas. Claramente é um roteiro original, e até de alguns passos de distância tem fedor de fome e altas expectativas ingênuas e otimismo absurdo de alguém de fora do meio – mais de fora do que poderia sonhar.

Segurando o calhamaço de páginas à frente, obviamente esperando que eu o pegasse, o motorista diz:

– Ei. – Os óculos espelhados vão das páginas para meu rosto, incitando-me a ver o roteiro e tomar uma posição. – Achei meu roteiro para você ler na viagem de volta à Terra.

Nesse momento tenso, um canto da boca do motorista se vira num possível sorriso malicioso, alguma expressão ou tímida ou irônica, mostrando uma confusão de dentes de roedor amarronzados se projetando de suas gengivas. Suas bochechas expostas ficam de um vermelho vivo. Ele se vira e abaixa a cabeça, subindo os ombros. Com a ponta de um pé, enfiado numa bota preta brilhante – bem das antigas para um motorista, quase como cascos –, ele desenha uma estrela de cinco pontas na poeira e nas cinzas. Está segurando a respiração, sua vulnerabilidade tão tangível que você pode sentir o gosto, mas sei por uma vasta experiência que no momento que tocar sua quimera cinematográfica ele vai esperar que eu invista nisso, assegure o financiamento para a filmagem principal e forneça um acordo polpudo de distribuição para ele. Até no Hades tais momentos são excruciantemente dolorosos.

Mesmo assim, eu quero voltar para a comemoração do Halloween com estilo, não num vagão de nazistas fedendo a tifo, cheio de piolhos, então me sujeito a olhar a página com o título. Lá, centralizado em maiúsculas – o primeiro temido sinal da importância dada a um amador a seu precioso trabalho –, leio o título do roteiro: A HISTÓRIA DE MADISON SPENCER. Autoria e *copyright* de propriedade de Satã.

Primeiro, leio o título de novo. E mais uma vez. Depois, olho para o crachá com o nome preso na lapela de seu uniforme de motorista, a prata entalhada, e de fato está escrito: SATÃ.

Com sua mão livre, o motorista tira o chapéu, revelando dois chifres cor de osso que se projetam sobre seu tufo de cabelo castanho comum. Ele tira os óculos espelhados para mostrar olhos cortados com íris horizontais, como uma cabra. Olhos amarelos.

Meu coração... instantaneamente meu coração sobe à garganta. Enfim, é você. Sem pensar, eu dou um passo à frente, ignorando o roteiro oferecido, e jogo meus braços no motorista, perguntando:

– Quer que eu leia isso? – Enfio meu rosto no uniforme de tweed dele – no *seu* uniforme de tweed. O tecido tem cheiro de metano, enxofre e gasolina. Um abraço depois, eu me afasto. Assentindo para as páginas, pergunto: – Você escreveu um filme sobre mim?

Lá está novamente o sorriso malicioso, como se ele tivesse me visto nua. Como se soubesse do meu pensamento. Ele fala:

– Ler o roteiro? Minha pequena Maddy, *você viveu isso*. – Satã balança sua cabeça chifruda. – Mas, tecnicamente falando, não há "você". – A mão enluvada abre o manuscrito e empurra para mim, exigindo: – Olhe! Cada momento do seu passado está aqui! Cada segundo do seu futuro!

Madison Spencer não existe, Satã alega. Não sou nada além de uma personagem fictícia que ele inventou há eras. Sou sua Rebecca de Winter. Sou sua Jane Eyre. Cada pensamento que já tive, ele escreveu na minha cabeça. Cada palavra que eu disse, ele alega ter roteirizado para mim.

Fisgando-me com seu roteiro, seus olhos amarelos piscando, Satã diz:

– Você não tem livre-arbítrio! Nenhum tipo de liberdade. Você não fez nada que eu não tenha planejado para você desde o começo dos tempos!

Eu fui manipulada desde o dia em que nasci, ele insiste. Conduzida tão graciosamente quanto Elinor Glyn faria com uma heroína num tapete de pele de tigre num encontro com um xeque árabe. O curso da minha vida foi manipulado tão eficientemente quanto pressionando Control + Alt + Madison num teclado. Minha existência inteira é predestinada, decretada no roteiro que ele segura para minha inspeção.

Recuo um passo atrás, sem aceitar aquele roteiro vagabundo. Sem aceitar nada desse novo conceito. Se Satã está dizendo a verdade, então minha recusa já está escrita aqui.

Arqueando as sobrancelhas espinhosas, ele diz presunçosamente:

– Se tem coragem e inteligência, é porque quis que as tivesse. Essas qualidades foram o meu presente! Eu exigi que Baal se rendesse a você. Seus ditos "amigos" trabalham para mim!

Hitler, Calígula, Idi Amin, ele alega que todos entregaram a batalha para mim. É por isso que minha ascensão ao poder aconteceu tão rápido. É por isso que Archer me instigou a lutar para começo de conversa.

Mas eu rebato:

– Por que devo acreditar em você? – Bato o pé e grito. – Você é o Príncipe das Marés!

Satã joga sua cabeça para trás, mostrando seus dentes manchados para o céu e gritando:

– *Sou o "Príncipe das Mentiras"!*

Que seja, digo. Digo também que – se ele é mesmo responsável por tudo o que eu digo – foi ELE quem estragou a última fala do meu diálogo.

– Dei fama à sua mãe! Dei ao seu pai uma fortuna! – ele berra. – Se quer uma prova, escute... – Ele abre o roteiro, lendo alto: – Madison de repente se sente confusa e aterrorizada.

E me senti. Eu me senti confusa e aterrorizada.

Ele continua:

– Madison olha ao redor, buscando ansiosamente pelo conforto do grupo de amigos.

E naquele momento eu havia de fato virado meu pescoço, tentando avistar Babette, Patterson e Archer. Mas eles já haviam entrado no carro que esperava.

E, sim, conheço as palavras *pânico* e *pulsação acelerada* e *ataque de ansiedade*, mas não estou certa de se posso ao menos existir para vivê-las. Em vez de uma garota gorda e esperta de treze anos... posso ser um traço da imaginação de Satã. Apenas manchas de tinta no papel. Se a realidade realmente mudou naquele instante... ou se minha percepção é que mudou... não sei dizer. Mas tudo parece minado. Tudo parece estragado.

De sua forma nerd, Leonard tentou me alertar. É possível que a realidade fosse exatamente da forma como ele descreveu: Demônio = *daimon* = musa ou inspiração = meu criador.

Lendo compenetradamente as páginas do roteiro, rindo com seu trabalho, Satã diz:

– Você é minha melhor personagem. – Sorri. – Estou tão orgulhoso de você, Madison. Você tem um talento tão nato para conduzir almas à perdição! – Com uma pitadinha de melancolia, complementa: – As pessoas me odeiam. Ninguém confia em mim. – Ele me encara quase com amor, lágrimas formando-se em seus olhos de bode. – Por isso criei você...

XXXVII

Está aí, Satã? Sou eu, Madison, e não sou sua Jane Eyre.
Não sou a Catherine Earnshaw de ninguém. E você?
Com certeza não é escritor. Não é meu dono; só está aloprando
com a minha cabeça. Se alguém tivesse me criado,
seria Judy Blume ou Barbara Cartland. Eu tenho confiança
e determinação e livre-arbítrio... pelo menos acho que tenho...

Por capricho, não levei nenhuma das minhas tropas de assalto ou hordas mongóis para passar o Halloween comigo. Se posso confiar neles – se os conquistei de forma justa e certa –, não sei mais. Além disso, há um limite de pessoas que você pode enfiar num Lincoln Town Car, e, apesar do que minha mãe diz, um cortejo pode *sim* ser grande demais. No último minuto, não pude nem usar o bigode de Hitler porque o Listra de Tigre o comeu; daí não quis levar meu gatinho e arriscar que ele vomitasse uma bola de pelo nazista no colo de alguém. No fim fomos só nós, Archer, Emily, Leonard, Babette, Patterson e eu, batendo de porta em porta. O Clube dos Cinco dos Mortos.

Dito isso, usei sim meu cinto de Rei Ethelred II, a adaga de Vlad III, o cajado com o qual Gilles de Rais matou tantas crianças. Emily, vestida como uma princesa-fada, usou o anel de diamante de Elizabeth Bathory. Leonard fez todo o mundo procurar por pipoca doce. Primeiro fomos à cidade onde Archer havia vivido pela última vez, algum lugar com casas alinhadas pelas ruas cheias de crianças vivas. Talvez alguns fossem crianças mortas, que voltaram como nós por algumas horas de nostalgia. Por um milésimo de segundo pude jurar que vi JonBenét Ramsey usando sapatinhos de sapateado de lantejoulas e acenando para nós.

Cercados como estamos por grupos de saqueadores de pivetes fantasiados, é desconfortável saber que alguns desses monstrinhos diminutos vivos vão morrer em acidentes de carro relacionados a embriaguez. Algumas líderes de torcida e anjos vão desenvolver distúrbios alimentares e morrer de fome. Algumas gueixas e borboletas vão casar com alcoólatras, que baterão nelas até a morte. Alguns vampirinhos e marinheiros vão enfiar os pescoços em forcas ou serão mutilados em rebeliões de presídio, ou vão ser envenenados por águas-vivas enquanto passam as férias dos sonhos mergulhando no Grande Recife de Coral. Aos super-heróis sortudos, lobisomens e vaqueiras, a velhice irá trazer diabetes, doenças cardíacas e demência.

Na varanda de uma casa de tijolos, um homem responde a campainha, e nosso grupo grita "Gostosuras ou travessuras!" na cara dele. Quando ele nos dá barras de chocolate, esse homem fala empolgado sobre a roupa de fada de Emily... a fantasia cheia de joias de Maria Antonieta de Babette... Patterson como o soldado grego. Quando os olhos dele pousam em mim, o homem examina a faixa de camisinhas da Hello Kitty no meu pescoço. Colocando uma barra de chocolate na minha mão manchada de sangue, comenta:

– Espere, não me diga... Você deve ser aquela menina, a filha daquela atriz, que foi sufocada até a morte pelo irmão psicótico, certo?

Parado ao meu lado, na varanda do homem, Goran usa um suéter de gola rulê e uma boina. Ele fuma um cachimbo vazio. Mesmo protegido por trás de óculos pesados de tartaruga, os olhos ardentes de Goran parecem feridos.

É possível que Satã tenha roteirizado esse momento. Ou pode mesmo estar acontecendo.

– Não, senhor – respondo. – Sou Simone de Beauvoir. – Acenando para Goran, acrescento: – E este, claro, é o bem famoso *monsieur* Jean-Paul Sartre.

Mesmo agora, estou perdida. Eu estava apenas sendo esperta e misericordiosa ou estava lendo diálogos espertinhos escritos pelo Diabo? Deixando a varanda, nosso grupo continuou pela rua. Quase sem ser notado, Archer seguiu por outra direção, então eu corri atrás dele para trazê-lo de volta a nós. Puxando-o pela manga de couro preta, pedi que me seguisse, mas Archer continuou a caminhar na direção oposta, claramente na própria missão, colocando mais e mais distância entre nós dois e o grupo de colegas. Abandonando o Clube dos Cinco. Sem mais palavras, eu o sigo até haver poucas luzes dos postes da rua, e depois mais nenhuma.

Continuamos até que a calçada de concreto termine, até que as casas terminem, e nós dois estamos caminhando pelo cascalho de uma rua vazia e escura.

Archer olha para mim e pergunta:

– Maddy? Está tudo bem com você?

Ele está preocupado, ou interpretando um papel? É Satã quem roteiriza nossa caminhada? Não sei, por isso não respondo.

Um portão de ferro fundido se ergue perto de nós nas sombras, e Archer se vira para ele. Nós passamos por uma cerca de ferro, e somos cercados de imediato por túmulos, caminhando em grama cortada, ouvindo grilos cantar. Até numa escuridão quase total, Archer marcha sem um passo em falso. Só pegando a manga de sua jaqueta de couro eu posso segui-lo, e mesmo com essa ajuda eu cambaleio sobre lápides de túmulos. Chuto para o lado buquês de flores, meus sapatos de salto molhados pela umidade.

Archer para de modo abrupto, e eu bato nas pernas dele. Sem dizer uma palavra, ele fica de pé, olhando para um túmulo, a pedra entalhada com o retrato de uma ovelha dormindo, duas datas com apenas um ano de diferença.

– Minha irmã – Archer diz. – Ela deve ter ido para o Céu, porque nunca a vi.

Ao lado do túmulo, uma segunda pedra traz o nome Archibald Merlin Archer.

– Eu – diz Archer, batendo na segunda pedra com a ponta da bota.

Ficamos lá em silêncio. A lua acima lança uma luz fraca sobre a cena ao nosso redor, com incontáveis lápides espalhadas em todas as direções. A grama iluminada pela lua cobre o chão.

Incerta de como responder, eu estudo o rosto de Archer buscando pistas. A luz da lua ilumina o moicano azul e reflete-se prateada em seu alfinete de segurança. Enfim, pergunto:

– Seu nome era *Archie Archer*?

– Não me faça lhe dar um murro.

Archer explica como, na noite depois que sua irmã foi enterrada, ele voltou ao túmulo. Naquela noite uma tempestade estava se formando, reunindo nuvens de trovões, então Archer correu para roubar uma garrafa de *spray* de herbicida, o tipo de aerossol para matar ervas daninhas e grama. Ele borrifou nas botas de motoqueiro até o couro ficar encharcado, depois caminhou para o túmulo recém-coberto. Lá, com suas botas soltando veneno em cada passo, Archer fez um ritual primitivo, uma dança da chuva na última hora antes de a tempestade vir. Deu saltos e piruetas. Sua jaqueta de couro balançando, ele xingou, virando seu pescoço e revirando os olhos. Pisando com seus pés tóxicos, Archer vociferou e gritou, saltando e dando cambalhotas contra o ataque de vento crescente. Com a tempestade se adensando, empinou-se, cabriolou e saltou. Enfureceu-se e uivou. Quando as primeiras gotas de chuva tocaram seu rosto, Archer sentiu o ar que o cercava estalando com eletricidade estática. Seu cabelo azul se empinou em sua altura total, e o alfinete de segurança em sua bochecha faiscou e vibrou.

Um dedo branco de luz serpenteou descendo do Céu, Archer diz, e seu corpo todo foi frito ao redor do alfinete de segurança.

– Bem aqui – diz, parado ao lado do túmulo da irmã, no lugar que iria se tornar seu próprio túmulo. Ele faz uma careta. – Que viagem!

Naquele pedaço de grama cortada se estendendo por uma dúzia de túmulos em ambas as direções, aquela alameda, um fantasma dos passos de dança de Archer ainda permanece. Lá, uma nova geração de grama, mais verde, mais suave, como as primeiras lâminas frescas a crescer para cobrir um campo de batalha, essa nova grama segue cada pegada tóxica que Archer deixou antes de ser atingido pelo raio. Em todo lugar em que ele pisou com as botas envenenadas, conta, a grama morreu, e só agora crescia de novo, rebrotando, para apagar a coreografia da madrugada.

Lá, apenas dias depois que ele criou uma gigante heresia, um sacrilégio de *kebab* espetado ao redor de seu próprio piercing incandescente em tempo para seu próprio funeral, suas palavras finais já haviam surgido com letras amarelas envenenadas claramente legíveis no verde podado. Quando o coveiro colocou seu caixão no túmulo, marcharam por esses passos de dança raivosos, esse caminho dançado, cambaleante, que dizia em letras amarelas grandes demais para qualquer um ler, a não ser uma entidade: *Foda-se a vida*.

– Dois filhos numa semana... – diz Archer –, coitada da minha mãe.

No silêncio que se segue, eu começo a ouvir meu nome na brisa da noite, tão suave quanto o cheiro distante de chamas de vela cozinhando abóboras entalhadas por dentro. De algum lugar no horizonte da noite, um coro de três vozes leves parece me chamar. No escuro distante, três vozes cantam repetidamente:

– Madison Spencer... Maddy Spencer... Madison Desert Flower Rosa Parks Coyote Trickster Spencer...

Com o som de sereias hipnotizando, cativando, me atraindo ao desconhecido, eu cambaleio em busca da isca. Estou passando entre túmulos, hipnotizada, ouvindo. Totalmente tomada.

Atrás de mim, Archer chama:

– Para onde está indo?

Tenho um encontro, digo. Não sei onde.

– No Halloween? – Archer grita. – Temos de voltar para o Inferno à meia-noite.

– Não se preocupe – grito para tranquilizá-lo. Ainda vagando, confusa, em busca das minhas vozes misteriosas, arrastada pelo som do meu próprio nome, repito: – Não se preocupe. – E, distraída: – Vejo você no Inferno.

XXXVIII

*Está aí, Satã? Sou eu, Madison Desert Flower
Rosa Parks Coyote Trickster Spencer.
Você me provocou. Trouxe minha ira sobre sua casa. Agora,
para provar que eu existo, preciso matar você. Como a criança
vive mais do que o pai, a personagem precisa enterrar o autor.
Se você é de fato meu autor, então matá-lo vai acabar com
minha existência também. Pequena perda. Uma vida dessas,
como seu fantoche, não vale a pena. Mas, se eu destruir você e
seu roteirinho de quinta, e ainda existir... então minha existência
será gloriosa, porque vou me tornar minha própria mestra.
Quando voltar para o Inferno, prepare-se para morrer pelas
minhas mãos. Ou esteja pronto para me matar.*

Meus piores medos aconteceram. No colégio interno suíço onde me encontrei trancada do lado de fora, pelada na neve de noite, eu me tornei o fantasma fruto de boatos de riquinhas tolas.

Por que é que eu aconteço como história para todo o mundo exceto para mim mesma?

Reunidas no pequeno alojamento que certa vez eu ocupei, as várias turmas de alunas – essas meninas cheias de risadinhas – passam esse Halloween ao redor da minha antiga cama. Sentadas sobre a cama aproximadamente na mesma posição que elas me seguraram, me sufocaram e me trouxeram de volta à vida, lá estavam as três piranhas. É o trio de vagabas que recita:

– Chamamos a alma eterna da falecida Madison Spencer. – Em uníssono, dizem: – Venha para nós, Madison Desert Flower Rosa Parks Coyote Trickster Spencer... – E todas ridicularizam meu nome absurdo. – Exigimos que o fantasma de Maddy Spencer venha e nos obedeça...

Vagabas ou Satã. Por que sempre me chamam para obedecer alguém?

Centrado na cama, um prato roubado da sala de jantar com algumas velas queimando, mas fora isso meu quarto está escuro. As cortinas estão abertas, revelando árvores irregulares e noite invernal. A porta para o corredor está fechada.

Uma das sirigaitas se inclina para a lateral da cama. Ela busca embaixo do travesseiro e tira um livro, com as pontas das folhas enroladas.

– Com esse objeto pessoal – a galinha diz –, exercemos nosso poder de controlar você, Maddy Spencer...

O livro? É minha amada cópia de *Persuasão*. Uma coleção de personagens que há muito vive além do autor.

Ao ver meu objeto pessoal, meu livro favorito, as outras meninas sorridentes ficam em silêncio. Seus olhos brilham à luz das velas.

É com essa deixa, como se eu pressionasse Control + Alt + C no computador da minha mãe, é que começo lentamente a arrastar as cortinas fechadas, e, com essa primeira insinuação de movimento, as garotas reunidas gritam. As meninas menores correm e caem umas sobre as outras em sua corrida para escapar do quarto. Tão fácil quanto pressionar Control + Alt + A, aumento o ar-condicionado, diminuindo a temperatura do quarto até que as meninas que restam possam ver seu hálito no ar, enevoado, à luz de velas. Da mesma forma que apertaria Control + Alt + L, pisco as luzes do teto, apagando e acendendo piscando tão rápido quanto o raio. Preenchendo o quarto com o equivalente de cada flash de fotos que a revista *People* já tirou de mim. Cego as meninas reunidas, como fariam *paparazzi* mercenários.

Com isso, as garotas remanescentes abrem caminho para a porta, saindo pelo corredor, gritando e berrando como almas condenadas trancadas dentro das jaulas imundas do Inferno. Elas arranham joelhos e cotovelos subindo umas sobre as outras, deixando apenas as três barangas ainda sentadas ao redor das velas na minha cama.

Sim, aqui estou, a lendária garota nua que deixou as marcas de fantasma das mãos mortas na maçaneta desse próprio alojamento. Senhorita Madison Desert Flower Rosa Parks Coyote Trickster Spencer. Aqui estou eu, voltando para vocês por apenas uma noite, a filha mimada e pamonha de uma estrela de cinema. Olho para as três com seus pés de balé em ponta maculando minha cama, e os quadris ossudos e suas bundas anoréxicas afundando no meu velho colchão, e tão fácil quanto tocar Control + Alt + D, bato e tranco a porta do corredor. Eu as selo dentro do meu quarto assim como minha mãe manteria uma empregada somaliana refém até o azulejo do banheiro ser de fato limpo.

Da forma honrada e atemporal que os mortos sempre mandaram mensagens para os vivos, eu berro meu ataque subsônico nas entranhas das periguetes, revirando e fervendo os conteúdos de seus tratos digestivos tão abusados, borbulhando e mexendo os restos cozidos contidos em seus intestinos, estômagos e cólon. Empurro a bagunça em violentas ondas peristálticas, fazendo as três apertarem a barriga, os orifícios inferiores irrompendo em nuvens de metano, apagando as velinhas, abafando o quarto numa escuridão fétida e sufocante. Eu forço para fora a massa quente das refeições passadas, empurrando-a contra os músculos anais e orais contritos, trompeteando essa putrescência escaldante numa pasta contra esse confinamento de parede de carne.

Com as mãos cobrindo as bocas ardentes, as garotas gritam entre os dedos, uivando e pedindo ajuda. Agarram seus diafragmas inchados. No corredor, além da porta fechada, as estudantes reunidas e o corpo docente brigam com a maçaneta trancada.

Só então eu anuncio que cheguei. Sou Madison Spencer, a comandante do Inferno. Torno minha voz soprano bem sombria e, uivando etérea, aviso aquelas três piranhas de que precisam se esforçar para não serem condenadas... porque, se forem, sofrerão minha ira pela eternidade. Serão sujeitas aos meus caprichos e passarão pelas torturas infinitas que eu devo decretar. Como Archer berrando e dançando no cemitério de noite, um para-raios humano, decreto que, se essas três meninas se encontrarem condenadas ao Hades, vou forçá-las a ficar junto com Hitler e companhia, submersas até os lábios no Pântano de Abortos dos Semiformados, para sempre.

O fedor acre de enxofre do Inferno já começa a se espalhar, fluindo, saindo dos próprios corpos flexíveis treinados em balé. As três meninas choram e imploram por perdão e liberdade. A porta fechada reverbera com socos e gritos de súplica dessas alunas e professores excluídos no corredor.

– Ouçam minhas palavras – digo.

Deste momento em diante, para se salvarem, elas precisam utilizar os terríveis termos *neguinho* e *bicha* sempre que tiverem a oportunidade. Nunca devem lavar as mãos depois de usar o banheiro. Devem evitar cobrir a boca quando tossirem ou espirrarem, em particular a bordo de aviões durante o serviço de bordo e apresentações de O *paciente inglês*. Oh, e eu sigo adiante. Droga, estou me divertindo tanto! E no último instante possível, antes que elas sufoquem totalmente mortas, atoladas na própria imundície pungente, abro a porta, permitindo que todas as colegas vejam o que essas ordinárias se tornaram.

Lá estão elas, esparramadas, gemendo na própria degradação gosmenta para que o mundo todo veja.

E, sim, sou mesquinha e vingativa, mas tenho lugares para ir e árvores florescentes para plantar. Tenho hordas malignas e exércitos sedentos de sangue para comandar. De acordo com meu sensato e durável relógio de pulso, falta vinte minutos para a meia-noite do Halloween.

Para qualquer um que esteja lendo isso, e que ainda não está morto, desejo sorte. Sinceramente desejo. Continue tomando suas vitaminas. Continue correndo ao redor de represas e evitando fumar passivamente. Cruze seus dedos... talvez a morte não ocorra a você.

E, sim, tenho treze anos, estou morta e sou uma menina. Posso ser um pouco sádica e um tanto infantil... mas pelo menos não sou uma vítima, não mais. Tenho esperança. Tenho esperança, logo, existo.

Graças a Deus que tenho esperança.

Para o resto de vocês, por favor, não tenham medo. Se terminarem no Céu, ponto para vocês! Mas, se não... bem, me procurem. A única coisa que faz a Terra parecer um Inferno, ou o Inferno parecer um Inferno, é a expectativa de que deva ser um Paraíso. A Terra é a Terra. Morto é morto. Outra dica de alguém do pós-vida dentro da vida: se perder o toque de recolher da meia-noite na véspera de Todos os Santos, você fica preso vagando pela Terra, um fantasma preso entre os vivos, até o próximo Halloween.

Agora, se me dá licença, está tarde, e estou numa pressa danada para chutar a bunda do diabo.

Continua...

QUER SABER MAIS SOBRE A LEYA?

Fique por dentro de nossos títulos, autores e lançamentos.

Curta a página da LeYa no Facebook, faça seu cadastro na aba *mailing* e tenha acesso a conteúdo exclusivo de nossos livros, capítulos antecipados, promoções e sorteios.

A LeYa também está presente em:

www.leya.com.br

 facebook.com/leyabrasil

 @leyabrasil

 instagram.com/editoraleya

 google.com/+LeYaBrasilSãoPaulo

 skoob.com.br/leya

2ª reimpressão	Junho 2015
papel de miolo	Pólen Soft 70 g/m²
papel de capa	Supremo 250 g/m²
tipografia	Berling
gráfica	Imprensa da Fé